CHEIȚA
DE
AUR

Contesa de Ségur

—

POVEȘTI
CU'
ZÎNE

Chișinău * Hyperion, Logos * 1991

BBC 82.33
S 43

In românește de Ecaterina Micu

După ediția :
Contesa de Ségur „Povești cu zîne",
București, Editura Ion Creangă, 1977

4804010400—56
S ——————————— 16—1—90 (Noutăți editoriale)
M756(10)—91
ISBN 5—368—01225—X

Povestea Bălăioarei,
a Bunei Căprioare și a lui Pisoi-Frumos

I
Bălăioara

A fost odată o fetiță cuminte și frumoasă, cu părul ca spicul grîului, care se numea Bălăioara. Era fermecătoare ca și părinții ei, Regele-cel-Bun și Regina Dulcineea. Regele era foarte iubit de supușii săi. Cei răi se temeau de el, pentru că era tot atît de drept pe cît era de bun și pedepsea cu asprime orice faptă rea. La cîteva luni după ce o născu pe Bălăioara, regina muri, iar regele o plînse multă vreme. Fetița, fiind foarte mică, nu-și dădea seama că mama ei murise. Era veselă, zglobie și trăia fericită lîngă tatăl ei, care o iubea din toată inima și-i dăruia cele mai frumoase jucării, cele mai bune dulciuri, cele mai delicioase fructe.

Într-o zi, Regele-cel-Bun află că supușii săi îi cer să se recăsătorească, pentru a avea un fiu care să-i fie urmaș. El nici nu vru să audă de aşa ceva. La stăruinţa supuşilor, a fost totuşi nevoit să le facă pe plac. Chemă atunci pe ministrul său Uşurel şi-i spuse :

— Dragul meu prieten, poporul meu vrea să mă recăsătoresc. Sînt încă atît de îndurerat de moartea scumpei mele Dulcineea, încît nu sînt în stare să-mi caut eu însumi o altă soţie. Caută-mi tu o prinţesă. Nu cer decît să fie bună şi s-o facă fericită pe scumpa mea Bălăiaoara. Cînd o vei găsi, o vei cere de soţie pentru mine şi o vei aduce aici.

Uşurel plecă imediat, umblă pe la toţi regii, văzu multe prinţese care de care mai urîte şi mai rele. La urmă ajunse la curtea Regelui-cel-Gălăgios, care avea o fată frumoasă, deşteaptă şi care părea a fi bună. Uşurel o găsi încîntătoare şi o ceru imediat de soţie pentru Regele-cel-Bun.

Regele-cel-Gălăgios, bucuros să scape cît mai repede de fiica sa care avea un suflet rău şi-i făcea tot felul de necazuri, i-o dădu pe loc lui Uşurel ca s-o ducă în ţara Regelui-cel-Bun.

Uşurel plecă împreună cu Prinţesa-cea-Vicleană, însoţiţi de o mie de catîri încărcaţi cu zestrea şi giuvaerurile prinţesei.

Sosiră la Regele-cel-Bun care le ieşi în întîmpinare. I se păru drăguţă prinţesa, dar nici pe departe nu avea înfăţisarea bună şi blîndă a bietei Dulcineea.

Cînd o zări pe Bălăioara, Prinţesa-cea-Vicleană îi aruncă o privire atît de răutăcioasă, încît fetiţa, care avea doar trei anişori, se înfricoşă şi începu să plîngă.

— Ce are ? întrebă regele. De ce plînge ca un copil rău Bălăioara mea cea dulce şi cuminte ?

— Tată, dragă tată, strigă fetiţa ascunzîndu-se în braţele regelui, nu mă da acestei prinţese, mi-e frică de ea, e rea !

Mirat, regele se uită la prinţesă şi zări privirea ei rea care o înfricoşase pe Bălăioara. El hotărî de îndată s-o despartă pe fetiţă de noua regină. Bălăioara rămase, ca şi înainte, în grija dădacei care o crescuse şi o iubea cu duioşie. Regina o vedea rar, dar, cînd din întîmplare o întîlnea, nu-și putea stăpîni ura.

Peste un an, Regina-cea-Vicleană născu o fetiță cu părul negru ca tăciunele pe care o numiră Negruța. Era drăguță, dar nu ca Bălăioara. Fetița era rea ca și mama ei și nu o putea suferi pe Bălăioara, pe care o mușca, o trăgea de păr, îi strica jucăriile, îi murdărea rochițele. Buna și micuța Bălăioara nu se supăra niciodată și-i lua apărarea Negruței.

„Nu o certa, tată, îi spunea ea regelui, e atît de mică ! Ea nu știe că mă necăjește cînd îmi strică jucăriile. Iar atunci cînd mă mușcă sau cînd mă trage de păr, o face din joacă."

Regele o îmbrățișa pe Bălăioara și nu spunea nimic ; dar vedea el bine că Negruța făcea totul din răutate, iar Bălăioara o ierta pentru că era bună. El o iubea din ce în ce mai mult pe Bălăioara și din ce în ce mai puțin pe Negruța. Regina-cea-Vicleană vedea și ea toate acestea, dar o ura și mai mult pe nevinovata Bălăioara, din care ar fi făcut cel mai nenorocit copil din lume dacă nu s-ar fi temut de mînia regelui.

Regele porunci ca Bălăioara să nu fie lăsată niciodată singură cu regina, și cum se știa că pedepsește cu asprime nesupunerea, nici regina nu îndrăznea să i se împotrivească.

II

Bălăioara pierdută

Bălăioara împlinise șapte ani, iar Negruța trei. Regele îi dărui Bălăioarei o trăsurică frumoasă trasă de doi struți pe care îi mîna un paj, un băiețaș de vreo zece ani, nepotul dădacei care o crescuse pe Bălăioara.

Băiatul se numea Pofticiosul. El o iubea mult pe Bălăioara, cu care se jucase de cînd era mică, și ea era tare bună cu el. Pajul avea un cusur, de unde îi venea și numele : era foarte lacom de dulciuri. Ar fi fost în stare să facă o faptă rea pentru o pungă cu bomboane. Bălăioara îi spunea adesea : „Tare te iubesc, Pofticiosule, dar nu-mi place să te văd atît de lacom. Te rog, lecuieşte-te de acest cusur urîcios, care dezgustă pe toată lumea." Pofticiosul îi săruta mîna, îi promitea că se va îndrepta, dar continua să fure prăjituri de la bucătărie şi bomboane din cămară. Mereu era bătut pentru lăcomia lui şi pentru că nu asculta.

Regina-cea-Vicleană află de cusurul băiatului şi se gîndi că l-ar putea folosi pentru a o pierde pe Bălăioara. Iată ce puse la cale :

Parcul palatului în care se plimba Bălăioara cu trăsurica trasă de struţi, avînd ca vizitiu pe Pofticiosul, se mărginea într-o parte cu o pădure foarte frumoasă, care se numea Pădurea de Liliac. Un gard din zăbrele despărţea parcul de pădure, care tot anul era plină de liliac înflorit. Nimeni nu intra în ea pentru că se ştia că e vrăjită şi cine pătrunde acolo nu mai iese niciodată. Pofticiosul cunoştea şi el taina pădurii. Regele i-a interzis cu severitate să se apropie de acea parte a parcului cu trăsurica Bălăioarei, de teamă ca fetiţa să nu treacă din greşeală printre zăbrele şi să intre în pădure.

De multe ori a încercat regele să ridice un zid sau să îndesească zăbrelele, ca să nu se mai poată trece printre ele, dar, de îndată ce se aşezau pietre sau zăbrele, o putere necunoscută le făcea să dispară.

Regina-cea-Vicleană căuta să-l ademenească pe Pofticiosul, dăruindu-i în fiecare zi dulciuri. Cînd reuşi să-i stîrnească lăcomia, aşa încît el nu se mai putea lipsi de prăjiturile şi dulciurile pe care i le dădea din belşug, îl chemă şi-i spuse :

— Pofticiosule, depinde de tine să capeţi un cufăr plin cu bomboane, sau să nu mai mănînci dulciuri toată viaţa ta.

— Să nu mai mănînc dulciuri niciodată ? Vai, doamnă ! Aş muri de supărare ! Spuneţi ce trebuie să fac, să nu mă lovească o asemenea nenorocire.

8

— Trebuie, spuse regina uitîndu-se în ochii lui, s-o duci pe prințesa Bălăioara lîngă Pădurea de Liliac.

— Nu pot, doamnă, regele mi-a poruncit să nu trec pe acolo.

— Nu poți ? Atunci, mergi sănătos. N-am să-ți mai dau niciodată dulciuri și voi porunci ca nimeni din palat să nu-ți mai dea.

— Ah, doamnă, nu fiți atît de crudă ! Dați-mi altă poruncă pe care s-o pot îndeplini.

— Îți repet că vreau s-o duci pe Bălăioara lîngă Pădurea de Liliac, s-o îndemni să coboare din trăsurică, să treacă gardul și să intre în pădure.

— Doamnă, spuse plîngînd Pofticiosul, dacă prințesa va intra în pădure, nu va mai ieși niciodată. Știți doară că pădurea e vrăjită. S-o trimit pe prințesa mea acolo înseamnă s-o trimit la moarte sigură.

— Te întreb a treia oară : vrei s-o duci, sau nu ? Alege : sau un cufăr plin cu bomboane pe care îl voi umple din nou în fiecare lună, sau nu vei mai căpăta niciodată o prăjitură sau o bomboană.

— Dar cum voi scăpa de pedeapsa regelui ?

— Nu-ți face griji pentru asta. De îndată ce Bălăioara o să intre în pădure, tu vei veni la mine și-ți vei lua bomboanele, iar eu mă voi îngriji de viitorul tău.

— O, doamnă, fie-vă milă de mine ! Nu mă siliți s-o duc la pieire pe scumpa mea prințesă, care a fost totdeauna așa de bună cu mine !

— Mai stai la îndoială, nemernicule ? Ce-ți pasă ce se va întîmpla cu Bălăioara ? Mai tîrziu vei intra în slujba Negruței și voi avea eu grijă să nu duci lipsă de dulciuri.

Pofticiosul rămase în cumpănă. Vai ! Să jertfească el pe buna și mucuța lui prințesă pentru cîteva kilograme de bomboane ? Tot restul zilei și toată noaptea stătu la îndoială dacă să făptuiască această crimă îngrozitoare. Spaima că

9

nu-şi va mai putea satisface lăcomia dacă nu îndeplineşte porunca reginei, dar şi o tainică nădejde că o va regăsi cîndva pe prinţesă cu ajutorul vreunei zîne bune îl făcură să se hotărască să facă pe placul reginei.

A doua zi, la ora patru Bălăioara ceru să i se aducă trăsurica. După ce îl sărută pe rege, pe care îl iubea mai mult decît orice pe lume, şi-i făgădui că se va înapoia peste două ore, se urcă şi plecă să se plimbe. Parcul era mare. Pofticiosul mînă struţii către partea opusă Pădurii de Liliac. Cînd erau destul de departe şi nu mai puteau fi zăriţi din palat, el schimbă direcţia şi o luă spre gardul care despărţea parcul de pădure. Băiatul era trist şi tăcut. Crima pe care o săvîrşea îi apăsa inima.

— Ce-i cu tine, Pofticiosule ? întrebă Bălăioara. De ce taci tot timpul ? Eşti cumva bolnav ?

— Nu, prinţesă, sînt sănătos.

— Eşti atît de galben la faţă ! Spune-mi ce ai, sărmanul meu Pofticios ? Îţi făgăduiesc că voi face tot ce voi putea pentru a te ajuta.

Bunătatea Bălăioarei era cît p-aci s-o salveze, într-atît înduioşă inima Pofticiosului, dar gîndul la bomboanele făgăduite de Regina-cea-Vicleană învinse pornirea lui bună. Nici nu apucă să-i răspundă, că struţii şi ajunseră la gardul de zăbrele.

— Ah, ce liliac frumos ! strigă fetiţa. Ce miros îmbătător ! Cît aş dori să am un buchet mare să-l dăruiesc tatii ! Coboară, Pofticiosule, şi rupe-mi cîteva ramuri !

— Nu pot, prinţesă. Struţii ar putea porni în lipsa mea.

— Nu-i nimic, îi pot mîna şi singură pînă la palat.

— Dacă te-aş lăsa singură, regele m-ar pedepsi. Mai bine du-te tu şi culege florile care-ţi plac.

— Adevărat, mi-ar părea rău să fii pedepsit din pricina mea, bietul meu Pofticios !

Spunînd acestea, fetiţa sări sprintenă din trăsurică, trecu

printre zăbrele în pădure şi începu să culeagă liliac.

În acel moment Pofticiosul se cutremură, se tulbură, remuşcarea îi cuprinse inima. Încercă să repare răul, chemînd-o pe Bălăioara, dar, cu toate că ea se afla numai la cîţiva paşi şi el o vedea bine, ea nu-i mai auzea vocea şi se afunda tot mai mult în pădurea vrăjită. O mai văzu un timp culegînd liliac, apoi dispăru din ochii lui.

Multă vreme plînse Pofticiosul pentru fapta comisă ; îşi blestema lăcomia şi o ura pe Regina-cea-Vicleană. În cele din urmă se întoarse la palat, intră pe uşa din dos a grajdului, apoi se duse la regină, care îl aştepta. Văzîndu-l galben la faţă, cu ochii înroşiţi de lacrimile remuşcării, ea înţelese că Bălăioara era pierdută.

— S-a făcut ? întrebă regina.

Pofticiosul făcu un semn cu capul că da ; nu mai avea putere să vorbească.

— Vino ! îi spuse regina. Iată-ţi răsplata.

Şi-i arătă un cufăr plin cu dulciuri. Puse un valet să ridice cufărul şi să-l lege pe spinarea unuia dintre catîrii care îi căraseră bijuteriile.

— Ia acest cufăr, Pofticiosule, şi du-te la tatăl meu. Pleacă, şi să vii peste o lună, să-ţi mai dau unul !

În acelaşi timp îi puse în mînă o pungă plină cu aur.

Pofticiosul nu ştia să stea călare nici pe cai, nici pe catîri. El încălecă şi porni în galop, fără a mai scoate un cuvînt. Catîrul, încăpăţînat, dar şi nărăvaş, neputînd suferi greutatea cufărului, se ridică pe picioarele dindărăt şi-l azvîrli pe Pofticios cu cufăr cu tot. Băiatul se lovi cu capul de nişte bolovani şi muri pe loc. Cu aceasta s-a ales el de pe urma lăcomiei. Nici n-a apucat să guste din dulciurile dăruite de regină.

Nefiind iubit de nimeni, în afară de biata Bălăioara, nimeni nu l-a plîns. Să vedem ce s-a întîmplat cu Bălăioara în Pădurea de Liliac.

III
Pădurea de liliac

Bălăioara culegea liliac, bucurîndu-se de frumusețea și parfumul florilor. Vedea mereu altele mai frumoase, care o atrăgeau. Golea șorțul și pălăria și le umplea din nou. Trecu astfel o oră ; i se făcu cald și o cuprinse oboseala. Liliacul atîrna greu. Se gîndi că e timpul să se întoarcă la palat ; privi în jur și se văzu înconjurată numai de tufe de liliac. Îl strigă pe Pofticios, dar el nu răspunse.

„M-am îndepărtat prea mult, se gîndi ea. Să mă înapoiez, deși sînt cam obosită. Pofticiosul mă va auzi și-mi va ieși în întîmpinare.“

Merse ea un timp, dar nu mai zărea gardul. Îl mai strigă de cîteva ori pe băiat, dar nu răspundea nimeni. O cuprinse frica.

„Ce-am să mă fac singură în pădure ? Ce va spune bietul meu tată văzînd că nu mă înapoiez ? Cum va îndrăzni Pofticiosul să se întoarcă la palat fără mine ? Va fi certat, poate chiar bătut, și numai din vina mea, pentru că am vrut să culeg flori. Nenorocita de mine, am să mor de sete și de foame aici, în pădure, dacă nu mă vor mînca lupii la noapte !“

Bălăioara se așeză la rădăcina unui copac mare și plînse mult timp, apoi oboseala o doborî, puse capul pe buchetul de liliac și adormi.

IV
Prima deșteptare.
Pisoi-Frumos

Bălăioara dormi toată noaptea. Nu simți frigul și nici o fiară sălbatică nu-i tulbură somnul. Se trezi a doua zi dimineața, tîrziu, își frecă ochii nedumerită că e înconjurată numai de arbori, în loc să fie în odaia ei, în patul ei. O strigă pe dădacă, dar îi răspunse un mieunat blînd şi plăcut. Mirată, chiar înfricoşată, Bălăioara se uită în jur şi zări la picoarele ei un pisoi alb, frumos, care o privea cu blîndeţe şi mieuna.

— Ah, pisoiule, ce frumos eşti ! strigă Bălăioara trecîndu-şi mîna prin blana lui albă ca zăpada. Ce bucuroasă sînt că te văd, Pisoi-Frumos ! Tu mă vei duce la casa ta. Vai, da' ce foame îmi e ! N-o să pot merge dacă nu mănînc ceva.

Pisoi-Frumos mieună din nou şi-i arătă cu lăbuţa un pacheţel învelit într-o pînză albă, fină. Bălăioara desfăcu pachetul şi găsi felii de pîine cu unt. Mîncă cu poftă şi-i dădu şi pisoiului cîteva bucăţele, pe care acesta le ronţăi cu plăcere. După ce mîncară, Bălăioara mulţumi pisoiului pentru dejunul gustos şi-i spuse :

— Pisoi-Frumos, ai putea să mă duci la tatăl meu, care e cu siguranţă foarte îngrijorat de lipsa mea ?

Pisoi-Frumos dădu din cap, mieunînd cu jale.

— Ah, văd că mă înţelegi ! Atunci, te rog, fie-ţi milă de mine şi du-mă într-o casă, să nu mor de foame, de frig şi de frică, aici, în această pădure îngrozitoare.

Pisoi-Frumos o privi şi, în semn c-a înţeles, se ridică, făcu cîţiva paşi şi întoarse capul să vadă dacă Bălăioara îl urmează.

— Iată-mă, Pisoi-Frumos, te urmez, dar cum vom trece prin aceste tufişuri atît de dese ? Nu zăresc nici o cărare.

Drept răspuns, Pisoi-Frumos se avîntă în tufişurile care se dădeau la o parte pentru a le face loc să treacă şi apoi se închideau din nou. Merseră astfel timp de o oră. Pe măsură ce înaintau, pădurea devenea mai luminoasă, iarba mai fină ; erau flori din belşug, păsări frumoase, cîntătoare, şi multe veveriţe ce se căţărau de-a lungul ramurilor. Bălăioara, încredinţată că va ieşi din pădure şi îl va vedea pe tatăl său, era încîntată de tot ce vedea. Ea s-ar fi oprit bucuros să mai culeagă flori, dar Pisoi-Frumos mergea mereu înainte şi mieuna trist cînd Bălăioara încerca să se oprească.

După încă o oră de mers, Bălăioara zări un palat nespus de frumos. Pisoi-Frumos o întovărăşi pînă la gardul din zăbrele aurite. Bălăioara nu ştia cum să intre, nu vedea nici o poartă. Pisoi-Frumos dispăruse şi Bălăioara rămase singură.

V

Căprioara-cea-Bună

Pisoi-Frumos intrase în curtea palatului printr-o mică trecere, făcută parcă anume pentru el, şi de bună seamă dădu de ştire cuiva din palat. Gardul se deschise fără ca Bălăioara să fi strigat pe cineva. Intră în curte şi nu văzu pe nimeni. Uşile palatului se deschiseră de la sine. Bălăioara intră într-un vestibul din marmură albă, apoi străbătu cîteva încăperi şi ajunse la urmă într-un salon foarte frumos, albastru şi auriu. Pe un pat din ierburi fine, binemirositoare, era culcată o căprioară albă. Pisoi-Frumos şedea lîngă ea. Cînd o văzu pe Bălăioara, căprioara se ridică, o întîmpină şi-i spuse :

— Bine ai venit, Bălăioaro ! Fiul meu şi cu mine te aşteptam de multă vreme.

Auzind o căprioară vorbind, fetiţa se înfricoşă.

— Linişteşte-te, Bălăioaro, te afli între prieteni. Îl cunosc pe regele, tatăl tău, şi vă iubesc pe amîndoi.

— O, doamnă ! Dacă îl cunoaşteţi pe tatăl meu, duceţi-mă la el. E desigur foarte trist de lipsa mea.

— Draga mea, spuse Căprioara-cea-Bună, suspinînd, nu-mi este cu putinţă să te redau tatălui tău. Te afli în puterea vrăjitorului Pădurii de Liliac. Eu însămi sînt supusă puterii lui, care e mai mare decît a mea. Voi trimite însă tatălui tău visuri care îl vor linişti şi-i vor da de veste că eşti la mine.

— Cum, doamnă! strigă Bălăioara, îngrijorată. Nu-l voi

mai vedea niciodată pe tatăl meu pe care îl iubesc atît de mult ?

— Dragă Bălăioaro, ai răbdare. Înţelepciunea este totdeauna răsplătită. Îl vei revedea pe tatăl tău, dar nu acuma. Fii ascultătoare şi bună. Pisoi-Frumos şi cu mine vom face totul ca să fii fericită.

Bălăioara suspină, plînse, apoi se gîndi că ar da dovadă de nerecunoştinţă faţă de bunătatea Căprioarei, arătîndu-se nenorocită de a fi cu ea, şi se sili să fie veselă. Căprioara-cea-Bună şi Pisoi-Frumos o conduseră în camera ei, care era tapetată cu mătase trandafirie brodată cu fir de aur. Mobila era tapisată cu catifea albă, pe care erau brodate tot felul de animale, păsări, fluturi, insecte, flori. Alături era o cameră de lucru tapetată cu mătase albastră ca cerul, brodată cu perle. Mobila era îmbrăcată cu mătase argintie presărată cu peruzele. Pe pereţi erau portretele unei femei tinere, nemaipomenit de frumoasă, şi ale unui tînăr fermecător.

— Pe cine reprezintă aceste portrete ?

— N-am voie să-ţi răspund la această întrebare, fetiţa mea, răspunse Căprioara. Mai tîrziu, vei afla. Dar iată că e ora prînzului. Vino să mănînci, Bălăioaro, cred că ţi-e tare foame.

Într-adevăr, fetiţa murea de foame. Intrară într-o sală de mîncare, în care masa era servită într-un fel foarte ciudat. O pernă mare, învelită în mătase albă, era aşezată pe jos pentru Căprioară. În faţa ei, pe masă, se afla un mănunchi de ierburi fine, proaspete, şi zemoase, iar alături un jgheab de aur cu apă de izvor. Lîngă Căprioară era un scăunaş mai înalt pentru Pisoi-Frumos, iar în dreptul lui, pe masă, un blid de aur cu peştişori fripţi şi cu pulpe de sitari. Alături, o strachină de cristal cu lapte proaspăt. Între Căprioara-cea-Bună şi Pisoi-Frumos era un mic fotoliu din sidef sculptat, îmbrăcat în catifea roşie prinsă în cuie de diamant, pentru Bălăioara. În faţa ei, într-o farfurie de aur, aburea o ciorbă

16

pregătită din găinușe și sitari, iar alături o chiflă proaspătă. Lingura și furculița erau de aur, iar șervetul dintr-o pînză foarte fină. Paharul și carafa cu apă erau din cristal. La masă serveau cu multă pricepere niște gazele, care ghiceau tot ce dorea fiecare. Cina era delicioasă, cu cele mai fine și mai rare mîncăruri și dulciuri. Bălăioara mîncă cu poftă și găsi totul nemaipomenit de bun. După-masă se plimbară prin aleile încîntătoare din grădină, cu flori frumoase și fructe rare. După plimbare, văzînd că Bălăioara e obosită, Căprioara o duse la culcare. În camera ei o așteptau două gazele, care o dezbrăcară cu mare delicatețe și o culcară, apoi se așezară lîngă patul ei să o vegheze. Bălăioara, care nu încetase a se gîndi la tatăl ei, plînse amarnic de dorul lui și, doborîtă de oboseală, căzu într-un somn adînc.

VI

A doua deșteptare a Bălăioarei

Bălăioara dormi adînc. Cînd se deșteptă, i se păru că nu mai e aceeași : gîndea ca un om mare. Recunoscu camera în care se culcase în ajun. Agitată, îngrijorată, alergă la oglindă și rămase uimită cînd văzu o fată tînără, cu părul bălai, strălucitor, ce-i ajungea pînă la călcîie, cu fața albă, tranda-firie, ochii albaștri minunați, un năsuc rotunjor și o talie fină, grațioasă. Nu mai văzuse o fată atît de frumoasă. Gîn-direa i se dezvoltase și își dădea seama că știe o mulțime de lucruri. Tulburată, aproape înfricoșată, se îmbrăcă repede și alergă la Căprioara-cea-Bună.

— Căprioară, spune-mi, te rog, ce s-a întîmplat cu mine ? M-am culcat aseară copil și m-am trezit mare. Mi se pare mie, sau am crescut atît de mult într-o noapte ?

— E adevărat, copila mea, că astăzi împlinești paispre-zece ani, iar somnul tău a durat șapte ani. Cînd ai venit la noi, nu ştiai încă să scrii şi să citeşti. Fiul meu Pisoi-Frumos şi cu mine te-am adormit pentru şapte ani şi, în timp ce dormeai, te-am învăţat şi ţi-am dat o educaţie aleasă. Văd că te îndoieşti de cunoştinţele tale. Vino în camera ta de studiu şi încredinţează-te de tot ce ştii !

Bălăioara merse în camera de studiu şi se încredinţă că ştie să scrie, să citească, să deseneze, să picteze, să cînte la pian şi la harpă, să danseze — şi toate le făcea cu mare îndemînare. Se uită la cărţile din rafturi şi îşi aminti că le citise aproape pe toate. Surprinsă, emoţionată, se aruncă de gîtul Căprioarei, îl îmbrăţişă pe Pisoi-Frumos.

— Ah ! Bunii mei prieteni, dragii mei, cîtă recunoştinţă vă datorez pentru grija ce aţi purtat copilăriei mele !

Căprioara-cea-Bună o mîngîie, iar Pisoi-Frumos îi linse cu delicateţe mîinile. După primele momente de fericire, Bălăioara plecă ochii şi spuse oarecum stînjenită :

— Să nu mă credeţi nerecunoscătoare, bunii mei prieteni, dacă vă rog să mai faceţi ceva pentru mine. Spuneţi-mi ce face tatăl meu ? Mai plînge de dorul meu ? E nefericit ?

— Dorinţa ta e firească şi ţi-o vom satisface, spuse Căprioara. Priveşte în această oglindă şi vei vedea tot ce s-a întîmplat de cînd ai plecat şi ce face tatăl tău acum.

Bălăioara văzu în oglinda fermecată pe tatăl său plimbîndu-se agitat prin cameră, şi parcă aştepta pe cineva. Regina-cea-Vicleană intră şi-i spuse că, cu toată împotrivirea Pofticiosului, Bălăioara a vrut să mîne ea însăşi struţii, că aceştia au pornit-o în goană spre Pădurea de liliac, unde au răsturnat trăsurica. Îi mai spuse că Bălăioara a fost azvîrlită printre zăbrele în pădure. De frică şi de supărare, Pofticiosul şi-a pierdut minţile şi ea l-a trimis la părinţii lui.

Se vedea în oglindă cum regele, cuprins de mare jale, alerga la Pădurea de Liliac, unde numai cu forţa a fost împiedicat să intre ca s-o caute pe Bălăioara. Adus acasă, îndurerat, o striga tot timpul pe scumpa lui fetiţă. În cele din urmă adormi şi în vis o văzu în palatul bunei Căprioare şi al lui Pisoi-Frumos. Căprioara-cea-Bună îl asigură că Bălăioara va avea o copilărie liniştită şi fericită şi că într-o zi o va revedea. Aici oglinda se întunecă, apoi se lumină din nou şi Bălăioara îl văzu iarăşi pe tatăl ei. De data aceasta el era îmbătrînit, părul îi albise şi era trist. Ţinea în mînă un mic portret al Bălăioarei, pe care îl săruta tot timpul. Era singur.

Bălăioara izbucni într-un plîns amarnic şi spuse:

— De ce e singur tatăl meu ? Unde sînt regina şi Negruţa?

— Regina a fost atît de puţin mîhnită de moartea ta, căci toţi te credeau moartă, o lămuri Căprioara, încît regele n-a mai putut s-o vadă în ochi şi a trimis-o înapoi la tatăl ei, Regele-cel-Gălăgios, care a închis-o într-un turn unde a murit de ciudă şi de urît. Sora ta Negruţa s-a făcut atît de rea şi de nesuferită, încît tatăl tău, ca să scape de ea, a măritat-o cu Prinţul-cel-Mînios, care a luat asupra sa grija s-o facă mai bună. După bătăile şi chinurile îndurate de la soţul ei, Negruţa şi-a dat seama că răutatea nu-i aduce fericire şi încearcă acum să se schimbe. Într-o zi veţi fi împreună şi tu o vei ajuta să se îndrepte.

Bălăioara ar fi vrut să mai întrebe cînd îi va revedea pe tatăl şi pe sora ei, dar, de teamă să nu pară nerecunoscătoare şi prea grăbită de a-i părăsi pe bunii ei prieteni, mulţumi cu dragoste Căprioarei şi nu mai puse nici o întrebare.

Timpul trecea. Bălăioara era ocupată şi nu se plictisea. De la o vreme însă o cuprinse o mare tristeţe. Cu Căprioara vorbea numai în timpul lecţiilor şi la masă. Pisoi-Frumos înţelegea, dar nu putea vorbi. Îi răspundea prin mieunat sau prin semne. Gazelele, care o serveau cu multă dragoste, nu aveau grai. Bălăioara se plimba prin grădină întovărăşită totdeauna de Pisoi-Frumos. care îi arăta cele mai frumoase alei cu cele mai minunate flori. Ea îi făgăduise Căprioarei că nu va ieşi niciodată din parcul palatului. Cînd o întreba de ce nu are voie să se plimbe în pădure, Căprioara îi spunea :

20

— Ah, Bălăioaro, nu căuta să pătrunzi în pădure! E o pădure a nenorocirii! Dacă vei putea să nu intri niciodată acolo!

Uneori Bălăioara urca pînă la un pavilion care se afla pe un dîmb, lîngă pădure. Vedea arbori minunați, flori fermecătoare și mii de păsări cîntătoare, care zburau de colo-colo, parcă îmbiind-o să vină și ea.

„De ce oare nu-mi dă voie să mă plimb în această pădure atît de frumoasă? se întreba ea. Ce primejdie mă poate pîndi, de vreme ce mă aflu sub oblăduirea căprioarei?"

Pisoi-Frumos părea că-i ghicește gîndurile; mieuna trist, o trăgea cu lăbuța de rochie ca să părăsească pavilionul. Bălăioara surîdea și se plimba din nou prin parcul singuratic.

VII
Papagalul

Trecuseră aproape șase luni de cînd Bălăioara se trezise din somnul ei de șapte ani. Timpul i se părea lung. Dorul de tatăl ei o chinuia. Văzînd-o tristă, Căprioara-cea-Bună suspina adînc; Pisoi-Frumos mieuna îndurerat. Bălăioara vorbea rar de ceea ce îi apăsa sufletul, ca să n-o supere pe Căprioara, care îi spusese de cîteva ori: „Dacă vei fi cuminte și ascultătoare, cînd vei împlini cincisprezece ani, îl vei revedea pe tatăl tău. Pînă atunci nu încerca să ne părăsești."

Într-o dimineață, stătea singură, amărîtă și se gîndea la viața ei plictisitoare și ciudată. Deodată, trei ciocănituri în fereastră o făcură să întoarcă privirea. Zări un papagal cu penele verzi, cu gîtul și capul portocalii. Surprinsă de ivirea unei ființe noi, necunoscute, deschise fereastra și papagalul intră în cameră. Care nu-i fu mirarea cînd îl auzi vorbind cu o voce slabă răgușită:

21

— Bună ziua, Bălăioaro. Ştiu că te plictiseşti uneori şi am venit să stăm de vorbă, dar, te rog, să nu-i spui Căprioarei, pentru că mi-ar suci gîtul.

— De ce, frumosule Papagal ? Căprioara nu face rău nimănui. Ea îi urăşte numai pe duşmani.

— Dacă nu-mi făgăduieşti că vei tăinui faţă de Căprioară şi de Pisoi-Frumos venirea mea aici, zbor şi nu mă vei mai vedea niciodată.

— Dacă ţii neapărat, frumosule Papagal, îţi făgăduiesc. De atîta timp n-am mai vorbit cu nimeni ! Pari vesel şi deştept. Sînt sigură că îmi vei ţine de urît.

Bălăioara ascultă vorbele linguşitoare ale Papagalului, care lăuda întruna frumuseţea, îndemînarea şi deşteptăciunea ei. După o oră el plecă, făgăduindu-i că va reveni a doua zi. Veni astfel cîteva zile în şir şi-i ţinu de urît, nemaicontenind cu laudele.

Într-o dimineaţă îi bătu în geam spunînd :

— Deschide repede, Bălăioaro, îţi aduc ştiri de la tatăl tău, dar nu face zgomot dacă nu vrei să mă vezi cu gîtul sucit.

Bălăioara deschise geamul şi-i spuse :

— Vorbeşte repede, frumosul meu Papagal ! Ce face tatăl meu ? Cum se simte ?

— Tatăl tău e sănătos, dar plînge întruna de dorul tău. I-am făgăduit că voi folosi puterea mea, aşa slabă cum e, pentru a te scoate din închisoarea asta, dar tu trebuie să mă ajuţi.

— Închisoare ? Tu habar n-ai ce buni sînt prietenii mei, cîtă dragoste au pentru mine. Ei ar fi fericiţi să cunoască o cale pentru a mă reda tatălui meu. Hai cu mine, te rog, să te arăt Căprioarei !

— Ah, Bălăioaro ! Nu-i cunoşti pe prietenii tăi, spuse Papagalul cu vocea lui răguşită. Ei mă urăsc de moarte pentru că uneori am reuşit să le smulg victimele. Nu-l vei revedea niciodată pe tatăl tău, nu vei ieși niciodată din această pădure dacă nu vei găsi tu însăți talismanul care te ține legată aici.

— Ce talisman ? Nu știu nimic. Ce interes ar avea Căprioara-cea-Bună și Pisoi-Frumos să mă țină închisă aici ?

— Interesul de a nu se plictisi singuri. Iar talismanul e un simplu trandafir care, de îndată ce îl vei rupe, te va elibera și te va duce la tatăl tău.

— De unde să culeg trandafirul ? În grădină nu e nici unul.

— Îți voi spune altă dată ; acum plec, pentru că va veni îndată Căprioara. Dacă vrei să te încredințezi de puterea trandafirului, n-ai decît să-i ceri ei unul și vei vedea ce-ți va răspunde. Pe mîine, Bălăioaro ! Pe mîine !

Papagalul zbură, bucuros că reușise să sădească în inima Bălăioarei primii germeni ai neîncrederii, ai nerecunoștinței și ai nesupunerii. Abia plecă Papagalul, că buna Căprioară și intră agitată, privind bănuitoare la fereastra deschisă.

— Cu cine vorbeai ? întrebă ea.

— Cu nimeni, doamnă.

— Sînt sigură că te-am auzit vorbind.

— Poate vorbeam singură.

Căprioara nu mai spuse nimic dar era tristă și-i curgeau lacrimi din ochi. Cu gîndul la cele spuse de Papagal, înclinată să-l creadă, Bălăioara nu se mai gîndea ca înainte la îndatoririle ei față de bunii săi prieteni. În loc să judece că o căprioară care vorbește, care poate face animalele să gîndească și care a adormit-o și s-a dăruit timp de șapte ani educației ei, punînd să fie servită ca o regină, nu poate fi o căprioară oarecare, ea ce-a făcut ? S-a încrezut orbește spuselor Papagalului, un necunoscut lingușitor, care nu avea de ce să-i poarte ei interes, ba încă cu riscul de a-și pierde viața. Dar Bălăioara nu mai privea cu aceeași recunoștință viața plăcută și fericită petrecută la buna Căprioară și la Pisoi-

Frumos. Hotărî deci să urmeze sfaturile Papagalului.

Bălăioara o întrebă, așa, ca din întîmplare, pe Căprioara-cea-Bună, de ce nu vede, printre florile din grădină, pe cea mai frumoasă — trandafirul.

Căprioara se cutremură, se tulbură și-i spuse :

— Bălăioaro, drăguța mea, nu-mi cere această floare rea, care înțeapă pe toți cei ce o ating. Nu-mi vorbi niciodată de trandafir. Tu nu știi ce primejdii te pîndesc în această floare.

Înfățișarea Căprioarei era atît de severă, încît Bălăioara nu îndrăzni să mai spună nimic. Restul zilei toți trei au fost neliniștiți și triști. A doua zi de dimineață, Bălăioara alergă la fereastră și, de îndată ce o deschise, Papagalul intră în odaie.

— Ai văzut cum s-a tulburat Căprioara cînd i-ai vorbit de trandafir ? Ți-am făgăduit că-ți voi arăta calea spre această floare. Iată, vei ieși din parc, vei intra în pădure, iar eu te voi aștepta și te voi duce la grădina unde se află cel mai frumos trandafir din lume.

— Cum să ies din parc ? Pisoi-Frumos mă întovărășește totdeauna cînd mă plimb.

— Caută să scapi de el și, dacă nu vrea să plece, ieși împotriva voinței lui.

— Dacă trandafirul e departe și se va observa lipsa mea ?

— E o oră de mers. A avut grijă Căprioara să fii departe de trandafir, ca să nu poți scăpa de asuprirea ei.

— Dar de ce oare mă ține închisă ? E atît de puternică, încît ar putea avea alte plăceri decît să se ocupe de educația mea.

— Vei afla mai tîrziu, Bălăioaro, cînd vei fi din nou lîngă tatăl tău. Hotărăște-te, gonește-l pe Pisoi-Frumos, intră în pădure și eu te voi aștepta.

Bălăioara îi făgădui, închise fereastra și se duse la masă. După-masă ieși, ca de obicei, să se plimbe. Pisoi-Frumos

mergea după ea, cu toată purtarea neprietenoasă a Bălăioarei, care îl făcea să miaune cu tristeţe. Pe aleea care ducea la ieşirea din parc, ea îi spuse :

— Vreau să mă plimb singură. Pleacă, Pisoi !

Pisoi-Frumos se prefăcu că nu pricepe. Bălăioara îşi ieşi din fire şi-l lovi cu piciorul. Pisoi-Frumos scoase un mieunat înfiorător de trist şi fugi. Bălăioara se cutremură de mieunatul lui, îi păru rău, voi să-l cheme înapoi, să renunţe la trandafir şi să mărturisească totul Căprioarei. Din lipsă de curaj şi de ruşine renunţă însă, apoi se duse la poartă, o deschise tremurînd şi intră în pădure. Papagalul o aştepta.

— Curaj, Bălăioaro ! O oră numai şi vei avea trandafirul care te va duce la tatăl tău.

Aceste cuvinte îi redară fetei încrederea şi hotărîrea care începeau s-o părăsească. Merse pe cărarea arătată de Papagal, care zbura de pe o ramură pe alta înaintea ei. Pădurea care i se păruse aşa de frumoasă devenea din ce în ce mai greu de străbătut. Mărăcinii şi pietrele se îngrămădeau pe cărare. Păsările nu se mai auzeau, florile dispăruseră. Bălăioara fu cuprinsă de o mare slăbiciune, dar Papagalul o silea să înainteze.

— Repede, repede, Bălăioaro ! Timpul trece. Căprioara îşi va da seama de lipsa ta, te va urmări, îmi va suci gîtul şi nu-l vei mai revedea pe tatăl tău.

Obosită, răsuflînd greu, cu braţele şi picioarele rănite, cu ghetele rupte, Bălăioara era gata să spună că nu merge mai departe, cînd Papagalul strigă :

— Am ajuns, Bălăioaro ! Iată unde se află trandafirul !

Bălăioara văzu la cotitura cărării o mică împrejmuire, a cărei portiţă i-o deschise Papagalul. Terenul era aspru, plin cu pietre, dar în mijloc se înălţa mîndru un trandafir minunat, mai frumos decît toţi trandafirii din lume.

— Culege-l, Bălăioaro, îl meriţi pe deplin ! spuse Papagalul.

Bălăioara apucă creanga și, cu toate că spinii îi sfîșiau degetele, rupse trandafirul.

În aceeași clipă auzi un hohot de rîs și trandafirul îi scăpă din mînă strigîndu-i:

— Mulțumesc, Bălăioaro, că m-ai eliberat din închisoarea în care mă ținea puterea Căprioarei. Sînt duhul tău rău, acum îmi aparții!

— Ha, ha, ha, rîse la rîndul său Papagalul, acum îmi pot relua înfățișarea de vrăjitor. M-am ostenit mai puțin decît credeam pentru a te convinge. Am știut să te lingușesc și am reușit repede să te fac nerecunoscătoare și rea. Ai pricinuit pieirea prietenilor tăi, al căror dușman de moarte sînt. Adio, Bălăioaro!

Papagalul și trandafirul dispărură, lăsînd-o pe Bălăioara singură în mijlocul pădurii.

VIII

Căința

Bălăioara rămase împietrită. Fusese nerecunoscătoare față de prietenii ei devotați, care au îngrijit-o și au educat-o timp de șapte ani. O vor mai primi ei, o vor ierta oare? Ce va deveni dacă nu vor mai voi s-o vadă? Ce însemnau cuvintele Papagalului cel rău: „Tu ai pricinuit pieirea prietenilor tăi?" Vru să pornească înapoi, la buna Căprioară, dar mărăcinii și spinii îi răneau tot corpul. Continuă totuși să-și croiască drum prin tufăriș. După trei ore de mers greu, ajunse în fața palatului Căprioarei. Dar ce-i fu dat să vadă? În locul minunatului palat nu erau decît ruine. În locul florilor și al frumoșilor arbori erau mărăcini, ciulini și urzici. Ce să facă? Îngrozită, deznădăjduită, încercă să pătrundă printre ruine pentru a afla ce au devenit prietenii ei. De sub o grămadă de pietre ieși o Broască-Rîioasă care se așeză în fața Bălăioarei și-i spuse:

— Ce mai cauți aici ? Prin nerecunoștința ta, ai pricinuit moartea prietenilor tăi. Pleacă ! Nu insulta memoria lor cu prezența ta.

— Vai, strigă Bălăioara, bieții mei prieteni, Căprioara-cea-Bună și Pisoi-Frumos ! De-aș putea să ispășesc prin moartea mea nenorocirea ce v-am pricinuit !

Fata căzu plîngînd peste ciulini și pietre, cuprinsă de o mare durere. Nici nu simțea colțurile ascuțite ale pietrelor și înțepăturile ciulinilor. Plînse timp îndelungat, apoi se ridică și privi în jur spre a descoperi un adăpost. Nu găsi. „Ei bine, își spuse, n-au decît să mă sfîșie fiarele sălbatice sau să mor de foame și de durere ! Astfel îmi voi da sufletul pe mormîntul bunilor mei prieteni.“

Deodată se auzi o voce spunînd :

— Căința poate să răscumpere multe greșeli.

Privi spre cer, dar nu văzu decît un Corb mare care zbura deasupra capului ei.

— Căința mea, oricît de amară ar fi, ar putea ea să redea viața Căprioarei și a lui Pisoi-Frumos ?

— Curaj, Bălăioaro ! spuse din nou vocea, răscumpără-ți greșeala prin căință. Nu te lăsa copleșită de durere !

Biata Bălăioara se ridică cu greu și se îndepărtă de acele locuri triste. Mergînd pe o cărare, ajunse într-o parte a pădurii unde nu mai erau mărăcini. Pămîntul era acoperit cu mușchi. Vlăguită de oboseală și de supărare, fata căzu la rădăcina unuia dintre arborii frumoși ce se aflau acolo și începu din nou să plîngă.

— Curaj, Bălăioaro ! Nu-ți pierde nădejdea ! îi strigă o altă voce. Se uită în jur și văzu alături de ea o Broscuță, care o privea cu milă.

— Broscuță dragă, văd că-ți pare rău de suferința mea. Ce se va întîmpla cu mine acum că sînt singură pe lume ?

— Curaj și nădejde ! auzi ea din nou vocea.

Bălăioara suspină. Încercă să găsească ceva fructe spre

a-şi astîmpăra setea şi foamea. Nu găsi însă nimic. Deodată un clinchet de clopoţel o trezi din gîndurile ei triste, şi ce văzu ?

O vacă albă, frumoasă se apropia încetişor ; se opri lîngă ea şi se aplecă spre a-i arăta că de gîtul ei era prinsă o strachină.

Recunoscătoare pentru un ajutor atît de neaşteptat, Bălăioara desprinse strachina, mulse vaca şi bău cu poftă laptele. Vaca îi făcu semn să pună vasul la loc. Fata o îmbrăţişă şi-i spuse cu tristeţe :

— Mulţumesc, Albişoaro. Fără îndoială că acest ajutor mărinimos îl datorez bieţilor mei prieteni. Poate că ei au ştiut că mă voi căi amar şi au vrut să-mi îndulcească traiul nenorocit.

— Căinţa face să fie iertate multe greşeli, se auzi vocea.

— Vai ! De-aş plînge ani întregi, tot nu mi-aş ierta greşeala. Niciodată nu mi-o voi ierta !

Se apropia noaptea. Aşa necăjită cum era, Bălăioara se gîndi totuşi cum să se ferească de fiarele sălbatice al căror răget i se părea că-l şi aude. Zări la cîţiva paşi un mic adăpost format din mai mulţi arbuşti, ale căror ramuri se împleteau, şi unde-şi putea rîndui un colţişor plăcut. Cît mai era lumină, adună muşchi şi-şi făcu o pernă şi o saltea. Înfipse cîteva ramuri în pămînt, ca să astupe intrarea. Închise adăpostul, se culcă zbrobită de oboseală şi adormi. Cînd se trezi era ziua mare. În primul moment nu-şi dădu seama unde se află. Curînd însă trista realitate îi apăru iar şi începu iar să plîngă. Îi era foame. Ce va mînca oare ? se gîndea ea, cînd auzi clopoţelul vacii. Ca şi în ajun, Albişoara era lîngă ea. Bău lapte proaspăt cît putu. Puse blidul la loc, o sărută pe Albişoara şi o privi cum se duce, cu speranţa că o va vedea revenind în cursul zilei. Şi astfel, în fiecare zi, dimineaţa, la prînz şi seara, Albişoara îi servea Bălăioarei modesta ei hrană. Fata îşi petrecea timpul jelind pe bieţii ei prieteni şi căindu-se amarnic.

«N-am fost ascultătoare, își spunea ea, și prin aceasta am pricinuit mari nenorociri, pe care nu voi mai putea să le repar. Nu numai că i-am pierdut pe bunii mei prieteni, dar am pierdut și singura speranță de a-l revedea pe tatăl meu. El o așteaptă pe Bălăioara lui nefericită, osîndită să trăiască singură în această pădure îngrozitoare, stăpînită de duhul cel rău.»

Bălăioara încercă să-și treacă timpul aranjîndu-și adăpostul. Își făcu un pat din mușchi și frunze. Din ramuri își împleti un scaun. Din spini lungi își făcu ace, din fire de cînepă își făcu ață, și astfel își cîrpi hainele și încălțămintea sfîșiate de mărăcini.

Trecură astfel șase săptămîni. Supărarea îi era la fel de mare și, spre lauda ei, putem spune că nu atît din pricina vieții triste și singuratice, cît din regretul sincer pentru greșelile săvîrșite. Ar fi primit bucuros să trăiască toată viața în pădure dacă prin aceasta ar fi răscumpărat viața bunilor ei prieteni.

IX

Broasca-Țestoasă

Într-o zi, Bălăioara ședea în fața micului său adăpost, gîndindu-se ca de obicei la prietenii și la tatăl ei.

Deodată apăru o Broască-Țestoasă uriașă și-i spuse cu o voce groasă, rtgușită :

— Dacă vrei să fii sub oblăduirea mea, te pot scoate din această pădure.

— De ce, doamnă Broască-Țestoasă, aș căuta să ies din pădure ? Aici am pricinuit moartea prietenilor mei, aici vreau să mor și eu.

— Ești sigură că prietenii tăi au murit ?

— Cum ? S-ar putea să fie în viață ? Nu, nu cred. Am vă-

zut palatul lor în ruine. Papagalul şi Broasca-Rîioasă mi-au spus că au pierit. Vreţi să-mi alinaţi durerea, din bunătate, dar vai ! nu mai nădăjduiesc să-i văd. Dacă trăiau, nu m-ar fi lăsat singură cu gîndul chinuitor de a le fi provocat moartea.

— De unde ştii, fetiţo, că nu sînt subjugaţi şi ei de o putere mai mare şi te părăsesc împotriva voinţei lor ? După cum ţi s-a mai spus, căinţa răscumpără multe greşeli.

— Ah, dragă doamnă Broască-Ţestoasă, dacă ei mai există, dacă ştiţi ceva, spuneţi-mi, ca să nu am pe suflet moartea lor şi să pot nădăjdui că-i voi revedea într-o zi ! Nu există pedeapsă pe care n-aş primi-o pentru a merita această fericire.

— Nu mi-e îngăduit să-ţi spun mai mult, dar dacă ai curajul să te sui în spinarea mea şi să nu mă întrebi nimic pînă la capătul călătoriei, te voi duce într-un loc unde vei afla totul.

— Vă făgăduiesc tot ce doriţi, numai să aflu ce au devenit scumpii mei prieteni.

— Ia aminte, Bălăioaro, repet : şase luni nu vei coborî de pe spinarea mea şi nu-mi vei pune nici o întrebare. Dacă nu vei avea tăria să mergi pînă la capăt, vei rămîne veşnic în puterea Papagalului-vrăjitor şi a Trandafirului. Nu-ţi voi mai putea da micile ajutoare datorită cărora ai supravieţuit şase săptămîni.

— Să plecăm, doamnă Broască-Ţestoasă, să plecăm imediat ! Mai bine să mor de oboseală şi de urît decît de supărare şi de griji. Cele ce mi-aţi spus mi-au redat curajul şi nădejdea, şi simt că sînt în stare să fac o călătorie şi mai grea decît aceea despre care mi-aţi vorbit.

— Precum doreşti, Bălăioaro. Urcă-te în spinarea mea. Nu vei suferi de foame, de sete, nici de somn. Cît timp va dura călătoria, nu ţi se va întîmpla nici un rău.

Bălăioara se urcă în spinarea Broaştei-Ţestoase.

— Acum, tăcere, îi spuse aceasta, nici un cuvînt pînă cînd vom ajunge, și atunci vei aștepta să vorbesc eu prima.

X
Călătoria și sosirea

Călătoria dură șase luni, așa cum spusese Broasca-Țestoasă. După trei luni ieșiră din pădure. Străbătură o cîmpie uscată, încă șase săptămîni. La capătul cîmpiei se zărea un palat care îi amintea Bălăioarei de palatul Căprioarei. După mai bine de o lună ajunseră de-abia la aleea ce ducea la palat. Să fie oare acesta locul unde va afla de soarta prietenilor ei ? se gîndea Bălăioara. Nu îndrăznea însă să întrebe, deși ardea de nerăbdare. Dacă ar fi putut alerga, ar fi ajuns în cîteva minute la palat, dar Broasca-Țestoasă mergea mereu și Bălăioara respecta făgăduiala dată, în ciuda dorinței sale fierbinți de a ajunge mai repede. Broasca-Țestoasă mergea din ce în ce mai încet. Trecură încă cincisprezece zile, care i se părură Bălăioarei cincisprezece ani. Ea nu pierdea din ochi palatul, care părea pustiu : nici un zgomot, nici o mișcare.

În sfîrșit, după o sută optzeci de zile, Broasca se opri și-i spuse Bălăioarei :

— Acum dă-te jos. Deoarece m-ai ascultat și ai fost curajoasă, ai cîștigat răsplata pe care ți-am promis-o. Intră prin poarta mică din fața ta. Întreabă pe prima persoană pe care o vei întîlni de Zîna-cea-Binevoitoare, și ea îți va spune ce s-a întîmplat cu prietenii tăi.

Bălăioara sări jos sprintenă. După atîta nemișcare, se temuse că nu va putea merge, dar se simțea tot atît de zglobie ca pe timpul cînd trăia fericită la Căprioara-cea-Bună și la Pisoi-Frumos, unde alerga ore întregi culegînd flori sau urmărind fluturi.

După ce mulțumi din suflet Broaștei-Țestoase, deschise cu

mare grabă poarta și se găsi în fața unei tinere fete, îmbrăcată în alb, care o întrebă, cu o voce plăcută, pe cine căuta.

— Aș dori să o văd pe Zîna-cea-Binevoitoare. Spuneți-i, vă rog, că prințesa Bălăioara o roagă foarte mult să o primească.

— Urmați-mă, prințesă, îi răspunse fata.

Bălăioara o urmă tremurînd. Străbătură mai multe saloane frumoase și întîlnira alte fete tinere, îmbrăcate de asemenea în alb. Acestea o priveau surîzînd, ca și cum ar fi cunoscut-o. Ajunseră într-un salon foarte frumos, care era la fel cu cel al Căprioarei, din Pădurea de Liliac. Amintirea îi fu atît de dureroasă, încît nici nu băgă de seamă dispariția fetei în alb. Se uită cu tristețe la mobilele din salon. Ea văzu una singură în plus, pe care Căprioara nu o avea înainte. Era un dulap mare din aur și sidef, foarte frumos lucrat. Bălăioara nu-și putea lua ochii de la această mobilă către care se simțea atrasă într-un mod ciudat.

Deodată se deschise ușa și o doamnă frumoasă, încă tînără și foarte bogat îmbrăcată, se apropie de Bălăioara și o întrebă cu o voce plăcută, mîngîietoare :

— Ce dorești de la mine, copila mea ?

— Ah, doamnă ! strigă Bălăioara aruncîndu-se la picioarele ei. Mi s-a spus că ați putea să-mi dați vești despre dragii, iubiții mei prieteni, Căprioara-cea-Bună și Pisoi-Frumos. Cunoașteți desigur cum i-am pierdut, din vina mea, pentru că nu i-am ascultat. Mult timp i-am plîns, crezîndu-i morți. Broasca-Țestoasă care m-a adus aici m-a făcut să nădăjduiesc că-i voi regăsi. Spuneți-mi, doamnă, dacă ei sînt în viață și ce trebuie să fac pentru a merita fericirea de a-i revedea.

— Bălăioaro, răspunse cu tristețe Zîna-cea-Binevoitoare, vei cunoaște soarta prietenilor tăi, dar să nu-ți pierzi curajul și nădejdea.

Spunînd acestea o luă de mînă pe Bălăioara, care tremura, și o duse în fața dulapului.

— Iată, Bălăioaro, cheia acestui dulap. Deschide tu în-
săți și fii tare!

Și-i dădu o cheie de aur. Cu mîna tremurîndă, Bălăioara
deschise dulapul și ce văzu? Erau agățate acolo, în cuie de
diamant, pielea Căprioarei și a lui Pisoi-Frumos. Bălăioara
scoase un țipăt sfîșietor și căzu leșinată în brațele zînei.
Ușa se deschise din nou și un tînăr frumos ca lumina zilei
se repezi spre Bălăioara spunînd:

— Ah, mamă! E prea grea încercarea la care ai supus-o
pe scumpa noastră Bălăioara.

— Vai, fiul meu, inima îmi sîngerează de mila ei, dar
știi bine că această ultimă pedeapsă era necesară spre a o
elibera pentru totdeauna din jugul crud al duhului rău din
Pădurea de Liliac.

Spunînd acestea, zîna o atinse pe Bălăioara cu bagheta
ei. Fata își reveni imediat în simțiri, dar, îndurerată, hohotind
de plîns, strigă:

— Lăsați-mă să mor! Viața îmi e nesuferită. Nu mai am
nici o nădejde, nu mai există fericire pentru mine. Scumpii
mei prieteni, în curînd voi fi lîngă voi!

— Bălăioară, dragă Bălăioară, prietenii tăi trăiesc și te
iubesc. Eu sînt Căprioara-cea-Bună și iată-l pe fiul meu, Pi-
soi-Frumos. Vrăjitorul cel rău din Pădurea de Liliac, profi-
tînd de neatenția fiului meu, a reușit să pună stăpînire pe noi
și să ne dea înfățișarea sub care ne-ai cunoscut. Nu ne puteam
relua chipul adevărat decît atunci cînd tu vei fi cules trandafi-
rul. Știind însă că este duhul tău rău, îl țineam închis. L-am
dus cît mai departe de palat, ca să nu-l poți vedea. Știam
ce nenorociri te pîndesc dacă îl vei elibera din închisoare.
Fiul meu și cu mine am fi rămas bucuroși toată viața sub
înfățișarea sub care ne-ai cunoscut, numai pentru a te scuti de
suferințele prin care ai trecut. În ciuda grijii noastre, Papa-
galul a ajuns la tine. Ce a urmat, cunoști, scumpa mea copilă.
Nu cunoști însă suferința noastră pentru tot ce ai îndurat.

Bălăioara nu mai înceta să-i îmbrăţişeze şi să le mulţumească zînei şi fiului ei. Ea punea mii de întrebări.

— Ce au devenit gazelele care ne serveau ?

— Le-ai văzut, draga mea, sînt acele tinere fete care te-au condus pînă aici. Ele, ca şi noi, au suferit acea tristă transformare.

— Dar vaca cea bună care-mi aducea lapte ?

— Noi am convins-o pe Regina Zînelor să-ţi trimită această uşoară îndulcire, iar cuvintele de încurajare ale Corbului tot de la noi veneau.

— Dar pe Broasca-Ţestoasă cine a trimis-o ?

— Regina Zînelor, înduioşată de suferinţele tale, a retras duhului rău puterea ce o avea asupra ta, cu condiţia ca ea să obţină de la tine o ultimă dovadă de supunere. De aceea te-a pus să faci această călătorie lungă şi istovitoare. Mai trebuia să-ţi dea o ultimă pedeapsă, făcîndu-te să crezi că noi am murit. Am rugat-o pe Regina Zînelor să te scutească măcar de această ultimă suferinţă, dar ea a rămas neînduplecată.

Bălăioara nu se mai sătura ascultînd şi privindu-i pe scumpii săi prieteni pe care nu crezuse că-i va mai revedea vreodată. Îşi aminti de tatăl ei. Pisoi-Frumos, acum Prinţul-cel-Desăvîrşit, îi ghici ca de obicei gîndurile Bălăioarei şi-i atrase atenţia mamei sale, care spuse :

— Pregăteşte-te, copila mea, să-l vezi pe tatăl tău. L-am înştiinţat şi te aşteaptă.

În aceeaşi clipă fata se pomeni într-o trăsură făcută din aur şi perle. La dreapta ei şedea zîna, iar la picioare se aşezase prinţul, care o privea cu dragoste, fericit. Trăsura era trasă de patru lebede albe, care zburau atît de repede încît ajunseră în cîteva minute la curtea Regelui-cel-Bun. Toţi curtenii erau în jurul lui şi o aşteptau pe Bălăioara. Cînd apăru trăsura, izbucniră în strigăte de bucurie atît de puternice, încît lebedele erau mai-mai să-şi piardă capul şi să greşească drumul.

Prinţul reuşi să le stăpînească şi trăsura opri în faţa scării de onoare a palatului.

Regele alergă spre Bălăioara, care sări repede din trăsură şi se aruncă în braţele lui. Rămaseră mult timp îmbrăţişaţi. Toată lumea plîngea de bucurie. Cînd regele îşi reveni, sărută mîna zînei care i-o aducea pe Bălăioara după ce o crescuse şi o ocrotise. Îl îmbrăţişă pe Prinţul-cel-Desăvîrşit, pe care îl găsi încîntător.

Au sărbătorit opt zile întoarcerea Bălăioarei, apoi zîna voi să se reîntoarcă la ea acasă. Prinţul şi Bălăioara erau atît de trişti că trebuie să se despartă, încît regele se înţelese cu zîna să-i căsătorească. Pentru Bălăioara, prinţul era tot Pisoi-Frumos din Pădurea de Liliac.

Iar regele se căsători cu zîna.

Negruţa se schimbase mult în bine şi venea adésea pe la Bălăioara.

Prinţul-cel-Mînios devenise şi el mai blajin şi trăiau fericiţi.

Bălăioara n-a mai avut niciodată necazuri. Ea a născut fetiţe care îi semănau ei şi băieţei care semănau cu Prinţul-cel-Desăvîrşit.

Toată lumea în jurul lor îi iubea şi erau cu toţii fericiţi.

Bunul şi micuţul Henric

I

Măicuţa bolnavă

A fost odată o femeie săracă şi văduvă, care trăia departe de lume, împreună cu băieţelul ei Henric, pe care îl iubea nespus de mult. Henric era un copil foarte bun. Avea doar şapte ani şi făcea toate treburile casei : mătura, spăla podelele, gătea, îngrijea grădina. Cînd termina treaba, îşi cîrpea hainele, repara ghetele mamei şi, după puterile şi priceperea lui, mai făcea un scaun, o măsuţă, o bancă şi alte lucruri necesare gospodăriei. În acest timp mama lui cosea lucruri pe care le vindea şi din banii agonisiţi trăiau amîndoi.

Căsuţa lor era departe de alte aşezări şi prin fereastră se vedea un munte, atît de înalt încît nimeni n-a izbutit vreodată s-ajungă pînă în vîrf. Muntele era înconjurat de o apă, de nişte stînci înalte şi de prăpăstii de netrecut.

Aşa săraci cum erau, se simţeau mulţumiţi şi fericiţi. Iată însă că într-o zi măicuţa se îmbolnăvi. Nu cunoşteau nici un medic şi chiar dacă ar fi cunoscut, n-ar fi avut cu ce să-l plătească. Bietul Henric nu ştia ce să facă, cum s-o lecuiască. Stătea zi şi noapte la căpătîiul ei, îi dădea cîte puţină apă cînd îi era sete, că altceva nu avea. El abia dacă mînca un colţ de pîine, uscată şi o privea plîngînd cînd ea dormea. Boala se înrăutăţea pe zi ce trecea şi biata femeie ajunsese în pragul morţii. Nu mai vorbea, nu mai înghiţea nimic şi nu-l mai cunoştea pe micuţul ei Henric care, îngenuncheat lîngă patul ei, hohotea de plîns. În culmea deznădejdii el strigă :

— Zînă Binefăcătoare, ajută-mă s-o salvez pe mama mea !

De cum rosti aceste cuvinte, fereastra se deschise şi în odaie intră o doamnă frumos îmbrăcată care, cu o voce blîndă, îl întrebă :

— Ce doreşti din parte-mi, micul meu prieten ? M-ai chemat, iată-mă !

— Doamnă, strigă Henric căzînd în genunchi cu mîinile împreunate a rugă, dacă sînteţi Zîna Binefăcătoare, salvaţi-o pe scumpa mea mamă care e pe moarte şi mă va lăsa singur.

Zîna îl privi înduioşată, se apropie de femeia bolnavă, se aplecă asupra ei, o cercetă cu atenţie, suflă peste faţa ei şi spuse :

— Nu stă în puterea mea s-o vindec pe măicuţa ta, dragul meu copil. Numai tu o poţi însănătoşi, dacă vei avea curajul să faci călătoria despre care îţi voi vorbi.

— Spuneţi, doamnă, spuneţi ! Fac orice ca s-o salvez pe mămica mea !

— Trebuie, spuse zîna, să cauţi Planta Vieţii, care creşte în vîrful muntelui pe care îl vezi prin această fereastră. Cînd o vei avea, vei stoarce sucul ei pe buzele mamei tale şi ea va reveni de îndată la viaţă.

— Plec imediat, doamnă, dar cine o va îngriji în lipsa mea ? Mă tem că va muri înainte de a mă fi înapoiat.

— Fii liniștit, sărman copil. Dacă te duci după Planta Vieții, mamei tale nu-i va trebui nimic pînă la întoarcerea ta. Ea va rămîne în starea în care se află acum. Să știi însă că vei trece prin multe primejdii și vei îndura mari greutăți înainte de a găsi această plantă. Vei avea nevoie de mult curaj, de o mare stăruință și răbdare pentru a o aduce.

— Nu mă tem, doamnă, că-mi vor lipsi curajul, stăruința și răbdarea. Spuneți-mi numai cum voi recunoaște această plantă printre toate celelate ce cresc în vîrful muntelui ?

— Dacă vei ajunge sus pe munte, îl vei chema pe doctorul care păzește Planta Vieții. Îi vei spune că eu te-am trimis și el îți va da o tulpină.

Henric mulțumi zînei, îi sărută mîna, își luă rămas bun de la mama sa acoperind-o cu sărutări, puse o pîine în buzunar și plecă, după ce o salută respectuos pe zînă.

Zîna surîse privind acest copil de șapte ani, care pleca singur pe un munte atît de periculos, încît toți cei ce-au încercat să-i atingă vîrful au pierit.

II
Corbul, Cocoșul și Broasca

Micul Henric porni cu hotărîre spre muntele ce se afla mult mai departe decît părea. În loc să ajungă într-o jumătate de oră, cum crezuse, merse o zi întreagă. Cam la o treime din drum, văzu un corb cu piciorul prins într-o capcană, pusă anume de un băiat rău. Corbul încerca zadarnic să scape din capcana care îl făcea să sufere îngrozitor. Henric alergă către el, tăie sfoara care ținea piciorul corbului și îl eliberă. Corbul zbură ca vîntul, după ce îi spuse lui Henric :

— Îți mulțumesc mult, dragul meu Henric. Am să te răsplătesc.

40

Auzind un corb vorbind, Henric fu tare mirat. Îşi continuă drumul. Mai tîrziu, pe cînd se odihnea într-un tufiş şi mînca o bucată de pîine, văzu un cocoş urmărit de o vulpe care era cît pe-aci să-l prindă, cu toate sforţările nemaipomenite ale cucoşului de a scăpa. Cocoşul trecu pe lîngă Henric care îl prinse cu îndemînare, îl trase spre el şi îl ascunse sub haina sa, fără ca vulpea să-l vadă. Vulpea continuă să fugă crezînd că cocoşul a zburat mai departe. Henric stătu nemişcat şi cînd vulpea nu se mai zări, dădu drumul cocoşului care îi şopti :

— Îţi mulţumesc mult, dragul meu Henric. Am să te răsplătesc.

După ce se odihni, Henric porni mai departe. Merse cîtva timp şi zări o broscuţă care era mai-mai să fie înghiţită de un şarpe. Broscuţa tremura şi nu se mai mişca, paralizată de frică. Cu gura căscată, şarpele se apropia cu repeziciune de ea. Henric apucă o piatră şi o aruncă cu îndemînare drept în gura şarpelui, tocmai în clipa cînd acesta se pregătea să înghită broscuţa. Şarpele înghiţi piatra şi se înăbuşi.

— Îţi mulţumesc mult, dragul meu Henric. Am să te răsplătesc.

După ce auzise vorbind un corb şi un cocoş, Henric nu se mai miră că şi broscuţa vorbeşte.

Merse mai departe. După puţin timp ajunse la poalele muntelui unde curgea un rîu mare, adînc şi atît de larg încît abia puteai zări celălalt mal.

Henric se opri tare încurcat. Poate va găsi un pod, un vad sau o barcă, gîndi el. Merse de-a lungul rîului care înconjura muntele, dar nici urmă de pod sau de barcă. Bietul Henric se aşeză plîngînd pe malul rîului.

— Zînă Binefăcătoare, strigă el, la ce-mi foloseşte să ştiu că în vîrful muntelui este planta care o poate salva pe mama mea, dacă nu pot ajunge la ea ?

În aceeaşi clipă apăru pe mal cocoşul pe care îl salvase din gura vulpii şi-i spuse :

— Zîna Binefăcătoare nu te poate ajuta. Acest munte nu este supus puterilor sale. Dar tu mi-ai salvat viaţa şi vreau să-mi dovedesc recunoştinţa. Urcă-te în spinarea mea, Henric, şi pe cinstea mea de cocoş că te voi trece rîul.

Henric nu stătu la îndoială ; se sui în spinarea cocoşului, aşteptîndu-se să cadă în apă, dar nici un strop nu-l atinse. Şedea aşa de bine, de parcă ar fi fost călare pe un cal. Se ţinea cu putere de creasta cocoşului, care porni în zbor spre malul celălalt. Rîul era atît de larg, încît ajunseră la celălalt mal abia după douăzeci şi una de zile. În acest timp lui Henric nu-i fu nici foame, nici sete, nici somn. Henric mulţumi frumos cocoşului, care îşi umflă cu graţie penele şi dispăru. Cînd Henric întoarse capul, văzu că şi rîul dispăruse.

«Cu siguranţă că duhul rău al muntelui a încercat să mă împiedice să ajung pînă aici, dar iată, cu ajutorul Zînei Binefăcătoare, sînt aproape de capătul drumului.»

III
Recolta

Merse băiatul mult timp, dar parcă nu se mişca din loc. Alt copil s-ar fi descurajat şi s-ar fi întors din drum. Bravul Henric însă, cu toate că era mort de oboseală, nu pierdu nădejdea şi mai merse încă douăzeci şi una de zile, tot fără să înainteze.

La fel de hotărît ca şi în prima zi, spuse :

— De-aş merge o sută de ani şi tot voi ajunge acolo pînă în vîrful muntelui.

Numai ce rosti aceste cuvinte că văzu în faţa sa un bătrînel care-l privea cu şiretenie.

— Văd că vrei să ajungi cu tot dinadinsul, micuţule, îi spuse acesta. Ce cauţi în vîrful acestui munte ?

— Planta Vieţii, bunul meu domn, ca s-o salvez pe măicuţa mea care e pe moarte.

Bătrînelul dădu din cap, îşi propti bărbia în mînerul de aur al bastonului său şi spuse după ce-l privi îndelung pe Henric :

— Îmi place chipul tău blînd şi deschis, băiatul meu. Sînt unul din duhurile muntelui. Te-aş lăsa să mergi mai departe, cu condiţia să-mi seceri tot grîul, să-l macini şi din făină să-mi faci pîine. Cînd vei fi gata, să mă chemi. În groapa de lîngă tine vei găsi toate uneltele de care vei avea nevoie. Lanurile de grîu se află în faţa ta. Ele acoperă muntele.

Bătrînelul dispăru, iar Henric se uită îngrijorat la uriaşa întindere ce se desfăşura în faţa sa. Nu stătu mult pe gînduri. Învinse simţămîntul de descurajare, îşi scoase haina, luă din groapă o coasă şi se puse hotărît pe treabă. Munci el astfel o sută optzeci şi cinci de zile şi tot atîtea nopţi. După ce cosi, bătu snopii cu o prăjină, alte şaptezeci de zile. Apoi măcină boabele într-o moară care apăru în apropiere. Termină de măcinat şi se apucă să plămădească şi să coacă pîinea. Măcinatul şi coptul durară încă o sută douăzeci de zile. Pe măsură ce se coceau, el aşeza frumos pîinile calde în rafturi, aşa cum se aşază cărţile într-o bibliotecă.

Cînd totul fu gata, Henric, plin de bucurie, îl chemă pe duhul muntelui care apăru pe loc. Numără el patru sute şaizeci şi opt de mii trei sute douăzeci şi nouă de pîini. Gustă cîte o bucăţică din prima şi din ultima, se apropie de Henric, îl mîngîie pe obraz şi-i spuse :

— Eşti un băiat de ispravă şi vreau să te răsplătesc pentru munca ta. Scoase din buzunar o tabachera de lemn şi i-o dădu lui Henric, zîmbind pe sub mustaţă: Cînd vei ajunge acasă, deschide tabachera şi vei găsi în ea un tutun cum n-ai mai avut.

Henric nu fuma niciodată, dar, binecrescut cum era, nu-i spuse că darul i se pare cu totul nefolositor. El mulţumi duhului, care izbucni în rîs şi dispăru.

IV

Culesul viilor

Henric porni din nou la drum, bucuros că fiecare pas îl apropia de vîrful muntelui. În două ore străbătu trei sferturi din distanță. Dar ce să vezi ? Deodată îi apăru în față un zid foarte înalt. Merse trei zile de-a lungul zidului și îngrozit, văzu că acesta înconjoară muntele, și nu găsi nici o deschizătură cît de mică prin care să poată trece.

Henric se așeză pe pămînt și se gîndi ce să facă. Se hotărî să aștepte. Trecură astfel patruzeci și cinci de zile.

— De-ar trebui să mai aștept o sută de ani și tot nu m-aș mișca de aici.

Cum rosti aceste cuvinte, o bucată din zid se prăbuși cu un zgomot asurzitor și văzu ieșind prin spărtură un uriaș care învîrtea amenințător deasupra capului o bîtă mare și groasă.

— Văd că ții tare mult să treci, băiatule. Ce cauți dincolo de zid ?

— Caut Planta Vieții, domnule Uriaș, ca s-o vindec pe mama mea care e pe moarte. Dacă stă în puterea dumneavoastră să mă ajutați să trec zidul, v-aș face orice serviciu mi-ați cere.

— Adevărat ? Ei bine, ascultă, atunci. Îmi place cum arăți. Sînt unul din duhurile muntelui și te voi ajuta să treci zidul, dacă vrei să-mi umpli pivnițele. Iată viile mele. Culege strugurii, tescuiește-i, pune mustul în butoaie și așază-le în pivniță. Lîngă zid vei găsi tot ce-ți trebuie. Cînd vei fi gata, să mă chemi.

Uriașul dispăru închizînd zidul în urma sa. Henric privi în jur : cît cuprinzi cu ochii se întindeau numai vii.

„Așa cum am fost în stare să culeg grîul bătrînului, își spuse Henric, voi reuși să culeg și strugurii uriașului. Mai repede şi mai uşor voi face vin din struguri decît pîine din grîu.»

Henric îşi scoase haina, ridică un cosoraş ce se afla la picioarele sale şi începu să taie ciorchinii şi să-i arunce în teasc. Culese el douăzeci de zile. După ce termină culesul, tescui strugurii, deşertă mustul în butoaie, pe care le aşeza în pivniţă pe măsură ce le umplea. Termină de făcut vinul în nouăzeci de zile. După ce aranjă totul, îl strigă pe uriaş. Acesta apăru imediat, cercetă butoaiele, gustă vinul din primul şi din ultimul butoi, apoi îi spuse lui Henric :

— Eşti un omuleţ de treabă. Vreau să-ţi plătesc pentru osteneală, să nu se spună că ai muncit degeaba pentru duhul muntelui. Scoase din buzunar un ciulin şi-l dădu lui Henric spunîndu-i : Cînd vei fi din nou acasă la tine, ori de cîte ori vei dori ceva, să miroşi acest ciulin.

Henric gîndi că darul nu era prea mărinimos, dar îl primi surîzînd cu amabilitate. În aceeaşi clipă, uriaşul fluieră atît de tare, încît muntele se cutremură. Zidul şi uriaşul dispărură, iar Henric îşi continuă drumul.

V

Vînătoarea

Mai avea de mers doar o jumătate de oră pînă în vîrful muntelui. Deodată se pomeni la marginea unei prăpăstii, atît de largă încît era cu neputinţă de sărit peste ea şi adîncă de nu i se zărea fundul. Fără să piardă curajul, Henric merse pe marginea prăpăstiei pînă reveni la locul de unde plecase.

— Ce să fac ? îşi spuse el. Abia scap de o piedică şi dau peste alta. Cum să trec această prăpastie ?

Pentru prima oară i se umplură ochii de lacrimi. Negăsind nici un mijloc să treacă prăpastia, se aşeză pe marginea ei.

Deodată auzi un urlet îngrozitor. Întoarse capul şi văzu la

46

cîţiva paşi de el un lup uriaş care îl privea cu ochi scînteietori.

— Ce cauţi pe pămînturile mele ? îi strigă lupul cu o voce tunătoare.

— Domnule Lup, caut Planta Vieţii pentru măicuţa mea care trage să moară. Dacă mă ajutaţi să trec prăpastia, fac cu supunere orice îmi cereţi.

— Ei bine, băiatule, dacă îmi prinzi tot vînatul din pădure, păsări şi animale, şi-mi faci fripturi şi pateuri, pe legea mea de duh al muntelui că te voi ajuta să treci prăpastia. Lîngă acest copac vei găsi tot ce-ţi trebuie pentru vînătoare şi pentru pregătit vînatul. Cînd vei fi gata, să mă chemi. Spunînd acestea, dispăru.

Lui Henric îi reveni curajul. Ridică de pe pămînt un arc cu săgeţi şi începu să tragă în potîrnichi, sitari, găinuşe, cocoşi sălbatici, dar, cum nu ştia să tragă, nu nimerea nimic.

De opt zile tot trăgea cu arcul, cînd iată că apare lîngă el corbul căruia îi salvase viaţa la începutul călătoriei.

— Tu mi-ai salvat viaţa, croncăni corbul, şi ţi-am făgăduit că te voi răsplăti. Acum am venit să mă ţin de cuvînt. Dacă nu îndeplineşti poruncile lupului, te va mînca pe tine în locul vînatului. Hai cu mine ; eu am să vînez, iar tu vei aduna vînatul şi-l vei găti.

Spunînd acestea, corbul zbură deasupra copacilor şi, cu lovituri de cioc şi de gheare, se puse să doboare toate păsările ce populau pădurea. În o sută cincizeci de zile vînă un milion opt sute şaizeci de mii şapte sute douăzeci şi şase de bucăţi. Pe măsură ce corbul le vîna, Henric le jumulea şi le gătea, fie fripturi, fie pateuri. Cînd toate fură gata aşezate frumos de-a lungul pădurii, corbul îi spuse :

— Rămîi cu bine, Henric ! Mai ai de trecut un obstacol, dar eu nu te mai pot ajuta. Să nu-ţi pierzi curajul ! Zînele îi ocrotesc pe copiii care-şi iubesc părinţii.

Pînă să apuce Henric să-i mulţumească, corbul dispăru. Băiatul chemă lupul şi-i spuse :

— Iată, domnule, tot vînatul din pădurea dumneavoastră. L-am gătit așa cum mi-ați poruncit. Vă rog să mă ajutați să trec prăpastia.

Lupul se uită la vînat, ronțăi un căprior fript și înghiți un pateu, își linse botul și spuse :

— Ești un băiat viteaz și destoinic. Am să-ți plătesc pentru munca ta. Să nu se spună că ai muncit degeaba pentru un duh al muntelui. Zicînd acestea, îi dădu lui Henric un băț, pe care îl luă din pădure, spunîndu-i:

— Cînd vei fi cules Planta Vieții și vei voi s-o duci repede undeva, să încaleci acest băț.

Henric era gata să arunce bățul, socotindu-l nefolositor, dar se gîndi că n-ar fi frumos să-l refuze. Îl luă, mulțumind lupului.

— Suie-te în spinarea mea, spuse lupul.

Henric se azvîrli în spinarea lupului, iar acesta, dintr-o săritură uriașă, fu dincolo de prăpastie.

Băiatul îi mulțumi și își continuă drumul.

VI

Pescuitul

În sfîrșit zări gardul grădinii unde creștea Planta Vieții. Henric pășea atît de repede cît îl țineau picioarele, privind tot timpul în sus. Deodată fu cît pe ce să cadă într-o groapă. Cînd privi în jur, văzu un iaz plin cu apă și atît de lung că nu i se vedea capătul.

«E de bună seamă acea ultimă piedică despre care mi-a vorbit corbul, gîndi Henric. De vreme ce le-am trecut pe toate celelalte cu ajutorul Zînei Binefăcătoare, ea mă va ajuta s-o trec și pe aceasta. Zîna mi-a trimis cocoșul și corbul, precum și pe bătrîn, pe uriaș și pe lup. Am să aștept să binevoiască să mă ajute pentru ultima oară.»

Merse de-a lungul iazului, nădăjduind să-i dea de capăt. După două zile se trezi în același loc de unde plecase. Nu se necăji, nu se descurajă, ci se așeză pe marginea iazului și spuse :

— Nu mă voi mișca de aici pînă cînd duhul muntelui nu mă va trece peste iaz.

Și în aceeași clipă apăru în fața lui un motan uriaș care mieuna atît de înfiorător, încît bietul Henric amuți.

— Ce cauți aici ? îi spuse motanul. Știi că te-aș putea face bucăți cu o lovitură de gheară ?

— Nu mă îndoiesc, domnule Motan, dar nădăjduiesc că mă veți cruța cînd veți afla că umblu după Planta Vieții, pentru a o salva pe biata mea măicuță care trage să moară. Dacă binevoiți a-mi permite să trec iazul, sînt gata să fac tot ce-mi porunciți.

— Adevărat ? spuse motanul. Ascultă, îmi place chipul tău. Dacă îmi vei pescui toți peștii din iaz și apoi îi vei frige sau îi vei pune în saramură, pe legea mea de motan că te voi trece iazul. Vei găsi aici tot ce-ți trebuie pentru pescuit și pentru gătit peștele. Cînd vei fi gata, să mă chemi.

Henric văzu la cîțiva pași plase, undițe, cîrlige și tot ce-i trebuia. Aruncă mai întîi o plasă, cu gîndul să scoată dintr-o dată mult pește, o trase încetișor, dar nu era nici un pește în ea. Crezînd că n-a aruncat-o bine, o aruncă din nou și o trase cu băgare de seamă, dar tot nimic.

Răbdător cum era, Henric încercă zece zile, apoi lăsă plasa deoparte și apucă undița. Trecu o oră, două, nici un pește nu se prindea în cîrlig. Se tot mută dintr-un loc în altul pînă făcu înconjurul iazului, dar în zadar. Nemaiștiind ce să facă, se gîndi la Zîna Binefăcătoare. Îl părăsea ea oare tocmai la sfîrșitul caznelor sale ? Se așeză pe malul iazului privind cu tristețe apa.

Deodată iazul începu să freamăte și din apă se ivi capul unei broscuțe.

— Henric, spuse broscuţa, mi-ai salvat viaţa, vreau să ţi-o salvez la rîndul meu pe a ta. Dacă nu îndeplineşti poruncile motanului, te va ronţăi pe tine la dejunul lui. Nu poţi prinde peştii pentru că ei se ascund tocmai la fundul iazului, care e foarte adînc. Lasă-mă pe mine. Tu aprinde focul ca să-i frigi şi pregăteşte butoaiele ca să-i pui la saramură. Am să ţi-i aduc pe toţi.

Broscuţa se afundă în iaz şi Henric văzu apa agitîndu-se atît de puternic, de parcă s-ar fi dat o luptă pe fundul ei. După un moment broscuţa apăru la suprafaţă şi aşeză pe mal un somon de toată frumuseţea. Nici nu apucă Henric să ridice somonul, că broscuţa apăru cu un crap. Continuă ea astfel, timp de şaizeci de zile. Henric frigea peştii cei mari, iar pe cei mici îi arunca în butoaie şi îi săra. După două luni, broscuţa sări pe mal şi-i spuse lui Henric :

— N-a mai rămas nici un peşte în iaz. Îl poţi· chema pe motanul muntelui.

Henric mulţumi din inimă broscuţei şi-i strînse cu căldură lăbuţa umedă pe care aceasta i-o întinse în semn de prietenie.

Mai trecură cincisprezece zile pînă cînd toţi peştii fripţi şi toate butoaiele cu peşte sărat fură frumos aranjate, apoi Henric îl chemă pe motanul muntelui, care apăru imediat.

— Iată, domnule Motan, toţi peştii dumneavoastră, fripţi şi săraţi. Vă rog să vă ţineţi de cuvînt şi să mă treceţi de partea celaltă a iazului.

Motanul cercetă totul, gustă un peşte fript şi unul sărat, îşi linse botul, surîse şi-i spuse lui Henric mulţumit :

— Eşti un băiat de treabă. Vreau să te răsplătesc pentru răbdarea şi truda ta. Să nu se spună că ai muncit degeaba pentru duhul muntelui. Motanul îşi smulse o gheară şi i-o dădu lui Henric zicînd : Cînd vei fi obosit sau bolnav sau cînd vei simţi că îmbătrîneşti, să-ţi atingi fruntea cu gheara aceasta şi boala, oboseala sau bătrîneţea vor dispărea. Gheara va avea aceeaşi putere pentru toţi cei pe care îi vei iubi sau care te vor iubi.

Henric mulţumi din suflet motanului şi, cum era istovit de oboseală, vru să încerce pe loc puterea preţioasei gheare. Abia îşi atinse fruntea cu ea şi se simţi îndată înviorat şi voios, de parcă abia s-ar fi sculat din patul său. Motanul zîmbi şi-i spuse :

— Hai, suie-te pe coada mea !

De cum se sui, coada motanului se lungi într-atît, încît ajunse dincolo de iaz.

VII

Planta vieţii

După ce îl salută respectuos pe motan, Henric alergă către grădina în care se găsea Planta Vieţii. Mai erau doar vreo sută de paşi. Se temea să nu se ivească o nouă piedică. Dar iată că ajunse la grilajul gardului. Cum să găsească el Planta Vieţii în acea sumedenie de plante şi ierburi pe care nu le cunoştea ? Îşi aminti că Zîna Binefăcătoare îi spusese să-l cheme pe doctorul care îngrijea grădina zînelor. Îl strigă cu glas tare şi auzi un zgomot printre plantele din apropiere. În faţa lui se ivi un omuleţ cu o carte sub braţ, cu ochelari pe năsucul său coroiat şi cu o manta neagră de doctor pe umeri.

— Ce cauţi aici, micuţule ? îi spuse doctorul înălţîndu-se în vîrful picioarelor. Cum ai pătruns pînă aici ?

— M-a trimis Zîna Binefăcătoare să vă cer Planta Vieţii pentru măicuţa mea care trage să moară.

— Cei ce vin din partea Zînei Binefăcătoare sînt bineveniţi ! Hai, micuţule, să-ţi dau planta pe care o cauţi.

Doctorul se afundă în grădină. Henric abia îl putea urma, pentru că, mărunt cum era, dispărea cu totul printre ierburi.

În sfîrșit ajunseră lîngă o plantă despărțită de celelalte. Doctorul tăie o tulpină și i-o dădu lui Henric spunîndu-i hotărît :

— Iată Planta Vieții. Folosește-o așa cum te-a învățat zîna. Dar ai grijă să nu cumva s-o lași din mînă. Oriunde ai pune-o, ți-ar scăpa și n-ai mai regăsi-o niciodată.

Nici n-apucă Henric să-i mulțumească pentru leac, că omulețul și dispăruse în mijlocul sumedeniei de plante medicinale.

Rămas singur, băiatul se gîndea cum să facă să ajungă mai repede acasă.

«Dacă aș întîlni la coborîre aceleași piedici, aș putea să pierd planta prețioasă care trebuie să redea viața mamei mele.»

Deodată își aminti de bățul lupului.

«Să vedem dacă are într-adevăr puterea de a mă duce repede acasă.»

Încălecă bățul și-și dori îndată să fie acasă. În aceeași clipă se simți ridicat în văzduh, pe care îl străbătu cu iuțeala fulgerului, și se pomeni lîngă patul mamei sale. Se repezi la ea, o sărută cu dragoste, dar ea nu-l vedea, nu-l auzea.

Fără a pierde timpul, Henric stoarse sucul plantei pe buzele mamei sale care deschise imediat ochii, îl îmbrățișă și-i spuse :

— Copilul meu, dragul meu Henric, am fost tare greu bolnavă, dar acum mă simt bine, mi-e foame.

Apoi îl privi mirată :

— Ce mare te-ai făcut ! Cum ai putut crește așa de mult în cîteva zile ?

Henric crescuse într-adevăr, cu un cap, în cei doi ani, șapte luni și șase zile de cînd plecase de acasă. Avea acum aproape zece ani. N-apucă să-i răspundă mamei sale cînd apăru Zîna Binefăcătoare. Îl îmbrățișă pe Henric, apoi se apropie de patul mamei lui, căreia îi povesti tot ce făcuse Henric pentru a o salva, toate pericolele prin care trecuse, oboseala, curajul, bunătatea şi răbdarea de care a dat dovadă.

Henric roşea auzind laudele zînei, iar mama sa îl strîngea la pieptul ei şi nu se mai sătura îmbrătişîndu-l.

După clipele fericite ale revederii, zîna îi spuse lui Henric :

— Acum foloseşte darurile bătrînului şi ale uriaşului.

Henric deschise tabachera. Deodată camera se umplu de o mulţime de lucrători, mici cît albinele, care se puseră pe lucru cu o asemenea îndemînare şi repeziciune, încît, după un sfert de oră, clădiră şi mobilară o casă frumoasă în mijlocul unei grădini mari, în spatele căreia se afla o pădure şi o cîmpie.

— Toate acestea îţi aparţin, viteazul meu Henric, spuse zîna. Ciulinul uriaşului îţi va aduce tot ce-ţi lipseşte, bastonul lupului te va duce încotro vei voi, iar gheara motanului va păstra tinereţea şi sănătatea ta şi a mamei tale. Rămîi cu bine, Henric, fii fericit şi nu uita că cinstea şi dragostea de părinţi sînt totdeauna răsplătite.

Henric se aruncă în braţele zînei, îi sărută mîna, iar zîna surîse şi dispăru.

Mama lui Henric dorea să se scoale din pat, să admire şi ea casa cea nouă, grădina, pădurea şi cîmpia, dar nu avea cu ce să se îmbrace. Cînd s-a îmbolnăvit, a vîndut tot ce avea pentru a-l putea hrăni pe Henric.

— Vai, copilul meu, nu mă pot scula, n-am nici haine, nici încălţăminte !

— Vei avea tot, mamă dragă,

Băiatul scoase din buzunar ciulinul, îl mirosi şi-şi dori să aibă cele trebuincioase pentru mama sa, pentru sine şi pentru casă. Imediat dulapurile se umplură cu haine şi rufe. Mama se pomeni îmbrăcată cu o rochie frumoasă de lînă, iar el cu un costum din postav albastru ; amîndoi aveau încălţăminte bună şi frumoasă. Mare le fu bucuria! Mama sări din pat şi merse cu Henric prin toată casa. Nu lipsea nimic. Peste tot erau mobile simple şi plăcute. În bucătărie, frumos rînduite, se aflau oale şi cratiţe, dar toate erau goale. Henric mirosi din nou ciulinul, dorindu-şi o mîncare bună, gata pregătită. Pe loc apăru pe masă o ciorbă gustoasă, o friptură din pulpă de miel, un pui fript şi o salată bună. Se aşezară la masă şi mîncară totul, cu pofta unor oameni care au flămînzit aproape trei ani. După ce se săturară, mama, ajutată de Henric, făcu curăţenie în bucătărie.

Obosiţi după atîtea emoţii, se culcară, mulţumind Zînei Binefăcătoare. Mama mai adăugă o mulţumire pentru iubitul său fiu.

Trăiră astfel, fără să ducă lipsă de nimic datorită ciulinului, fără suferinţe şi mereu tineri datorită ghearei. Băţul nu l-au folosit, pentru că n-au simţit nevoia să plece în altă parte, atît de fericiţi erau în casa lor. Henric mai ceru ciulinului două vaci frumoase, doi cai buni şi ce mai aveau nevoie pentru casă. Niciodată nu cerea decît atît cît avea nevoie, fie hrană, fie îmbrăcăminte. Păstră ciulinul toată viaţa.

Nu se ştie cît de mult au trăit. Se pare că Regina Zînelor i-a făcut nemuritori şi i-a dus în palatul ei, unde se află şi astăzi.

Povestea prinţesei Rozeta

I
Ferma

A fost odată un rege şi o regină şi aveau trei fete. Ei le iubeau foarte mult pe primele două, care erau gemene. Erau frumoase şi deştepte fetele, dar rele ca şi părinţii lor. Cea mai mică avea trei ani mai puţin decît surorile ei, era frumoasă şi bună. Zîna-cea-Puternică i-a fost naşă şi i-a dat numele de Rozeta. Surorile ei, Orangina şi Ruseta, n-au avut ca naşe zîne şi de aceea o invidiau pe Rozeta. Cîteva zile după ce s-a născut Rozeta, părinţii ei au trimis-o la ţară, la o doică ; aceasta era o femeie bună şi Rozeta trăia fericită la ferma ei. Părinţii nu se duceau niciodată s-o vadă ; trimiteau din cînd în cînd ceva bani doicei pentru cheltuieli, întrebau ce face fetiţa, dar nu o aduceau niciodată acasă şi nu se ocupau de educaţia ei. Naşa ei, Zîna-cea-Puternică, a avut grijă să-i trimită profesori care au învăţat-o tot ce era necesar unei bune educații. Cunoștea bine muzica, desena frumos, vorbea cîteva limbi străine, citea multe cărți, știa să danseze. Împlinise cincisprezece ani și era cea mai frumoasă, mai plăcută și mai atrăgătoare prințesă din lume. Era foarte ascultătoare și n-a fost niciodată certată sau pedepsită de zînă sau de doică. Necunoscîndu-și părinții, care nu se interesau de ea, nu le ducea lipsa și nici n-ar fi dorit să trăiască în altă parte decît în casa doicei, care o îndrăgea și pe care și Rozeta o iubea, la rîndul ei, din toată inima.

Într-o zi, ședea pe o bancă în fața casei și văzu cu mirare apropiindu-se de ea un bărbat frumos îmbrăcat, care o întrebă dacă ar putea vorbi cu printesa Rozeta.

— Eu sînt prințesa Rozeta.

Bărbatul o salută respectuos și-i dădu o scrisoare trimisă de rege. Rozeta deschise scrisoarea și citi cele ce urmează :

Rozeta,
Surorile tale au împlinit optsprezece ani, vîrsta potrivită pentru a se căsători. La serbările ce le voi da pentru a le alege soți, voi pofti prinți și prințese din toate regatele din lume. Tu ai implinit cincisprezece ani, vîrstă ce-ți permite să iei parte la aceste serbări. Poți veni să stai trei zile la noi. Peste opt zile voi trimite să te aducă. Nu-ți trimit bani pentru rochii, deoarece am cheltuit mult pentru surorile tale. Dealtfel, nimeni nu te va băga în seamă, așa că îmbracă-te cu ce ai.

Tatăl tău, REGELE.

Rozeta alergă la doica sa și-i arătă scrisoarea.

— Dorești să te duci la aceste serbări ?

— O, da, buna mea doică, îmi pare foarte bine ! Am să petrec, am să-mi cunosc părinții și surorile, apoi mă voi înapoia la tine.

— Dar cu ce te vei îmbrăca, copila mea ?

— Cu rochia mea cea albă pe care o port în fiecare zi.

— Micuța mea, rochia aceasta e bună aici, la țară, dar va fi nepotrivită la adunare de regi și de prinți.

— Ei şi ce ? Tata spune că nimeni nu se va iuta la mine. Îmi pare mai bine : eu voi vedea totul şi nimeni nu mă va vedea pe mine.

Doica nu mai spuse nimic. Suspină şi se puse să cîrpească şi să cureţe rochia Rozetei. În ajunul zilei cînd trebuia să vină după ea trimisul regelui, doica o chemă şi-i spuse :

— Iată, scumpul meu copil, rochia pentru serbările regelui. Ai grijă de ea, că n-ai alta şi eu n-am să fiu acolo să ţi-o spăl şi s-o calc.

— Mulţumesc, scumpa mea doică, fii liniştită, o să am grijă.

Doica puse într-o lădiţă rochia, un jupon alb, ciorapi de bumbac, o pereche de ghete negre şi un mic buchet de flori, pe care să şi-l prindă Rozeta în păr. Cînd să închidă lădiţa, iată că se deschise brusc fereastra şi intră Zîna-cea-Puternică.

— Dragă Rozeta, te duci la serbările regelui, tatăl tău ?

— Da, naşă dragă, plec pentru trei zile.

— Ce rochii ţi-ai pregătit pentru aceste zile ?

— Priveşte, naşă dragă. Şi-i arătă lădiţa deschisă încă. Zîna surîse, scoase o sticluţă din buzunar şi spuse :

— Vreau ca Rozeta mea să aibă cea mai frumoasă rochie. Aceasta nu e demnă de ea.

Deschise sticluţa şi lăsă să cadă o picătură pe rochie. Pe loc rochia căpătă o culoare galbenă, se boţi şi se prefăcu în pînză groasă, ca o cîrpă. O altă picătură vopsi ciorapii în albastru, iar a treia picătură prefăcu buchetul de flori într-o aripă de găină. Ghetele deveniră papuci grosolani de lemn, buni pentru cîmp.

— Iată, spuse cu drăgălăşenie zîna, cum doresc să apară Rozeta mea. Vreau să te îmbraci cu toate astea şi, ca găteli, poftim o agrafă să-ţi prinzi părul, un colier să-l pui la gît şi nişte brăţări. Spunînd acestea, scoase din buzunar şi puse în cufăr un colier din alune, o agrafă din nişte fructe mici numite moşmoane şi brăţări din fasole uscată.

Zîna o sărută apoi pe frunte şi dispăru. Rozeta şi doica rămaseră uimite. Doica izbucni în hohote de plîns.

— După ce am muncit atîta ca să fie mai arătoasă rochia ta, priveşte ce a făcut zîna. Orice cîrpă ar fi mai frumoasă. O, Rozeta, biata mea copilă, nu te duce la aceste serbări, spune că eşti bolnavă !

— Nu, ar fi nepoliticos faţă de naşa mea. Sînt sigură că tot ce face ea este spre binele meu, pentru că e mai înţeleaptă decît mine. Voi merge şi mă voi îmbrăca cu tot ce mi-a lăsat ea.

Rozeta nu se mai gîndi la rochie, se culcă şi dormi liniştită.

A doua zi, abia reuşise să se pregătească de plecare că şi sosi caleaşca regelui după ea. Rozeta o îmbrăţişă pe doică, puse lădiţa în caleaşcă şi plecă.

II

Rozeta la curtea regelui, tatăl său.
Prima zi

Merseră doar două ore, pentru că oraşul în care se afla curtea regelui nu era departe. Cînd ajunse la palat, Rozeta văzu cu mirare că trebuie să coboare într-o curte mică, murdară, unde o aştepta un paj.

— Veniţi, prinţesă, să vă conduc în camera dumneavoastră.

— Aş dori mai întîi s-o văd pe regină, spuse, oarecum stingherită, Rozeta.

—— O veţi vedea peste două ore, cînd se va aduna lumea pentru cină. Între timp vă veţi putea îmbrăca.

Merse Rozeta în urma pajului care o duse într-o sală lungă, la capătul căreia era o scară. Urcă mult timp, pînă ajunse la un alt coridor unde se afla odaia ce-i fusese rezervată. Era, de fapt, în pod, foarte mică şi aproape goală. Pajul puse lădiţa într-un colţ şi-i spuse cam ruşinat :

— Iertaţi-mă, prinţesă, că v-am adus în această cămă-

ruță, atît de nepotrivită pentru dumneavoastră. Regina a păstrat toate odăile pentru regii și reginele poftite la serbări și nu i-au mai rămas, și...

— Bine, bine, spuse surîzînd Rozeta, nu-i nimic, mă voi simți foarte bine aici.

— Voi veni la timp, să vă conduc la rege și la regină.

— Am să fiu gata, la revedere, frumosule paj !

Cu inima grea, Rozeta deschise lădița, scoase suspinînd lucrurile urîte și începu să se pieptene în fața unui ciob de oglindă pe care îl găsi într-un colț. Era atît de îndemînatică, își aranjă atît de frumos părul său bălai, încît chiar cu aripa de găină și cu agrafa din moșmoane era tare frumoasă. Se încălță, se îmbrăcă, își puse gătelile și se duse din nou la oglindă, dar ce-i văzură ochii ?

Rochia era din mătase aurită brodată cu rubine, de o rară frumusețe. Ghetele se prefăcuseră în pantofiori de mătase, cu catarămi tăiate dintr-un singur rubin. Ciorapii erau atît de subțiri, de parcă ar fi fost țesuți din fire de păianjen. Colierul era din rubine și diamante, iar brățările din cele mai frumoase pietre scumpe. Aripa de găină devenise o coroniță nemaipomenit de frumoasă, iar agrafa de prins părul era dintr-o piatră scumpă atît de strălucitoare, cum numai o zînă ar fi putut să aibă.

Fericită, fermecată, uluită chiar, Rozeta se plimba de colo-colo, prin cămăruța ei, mulțumind cu glas tare nașei sale care voise s-o pună la încercare și acum o răsplătea atît de mărinimos.

Pajul bătu la ușă, intră și rămase uimit de frumusețea Rozetei și de bogăția gătelii sale. Rozeta îl urmă și, după ce coborîră multe scări, străbătură multe odăi, apoi intrară în niște saloane nespus de frumoase, pline cu invitați — regi, regine, prinți, prințese. Rozeta atrăgea toate privirile și nici nu îndrăznea să ridice ochii. În sfîrșit, pajul se opri și-i spuse :

— Prințesă, iată-i pe rege și pe regină !

Rozeta ridică ochii şi-i văzu pe părinţii ei care o priveau foarte surprinşi.

— Doamnă, îi spuse regele, vă rog să ne spuneţi numele dumneavoastră. Sînteţi, desigur, o mare regină sau o mare zînă, a cărei sosire neaşteptată ne face o mare onoare şi o mare bucurie.

— Sire, spuse Rozeta salutîndu-l pe rege, nu sînt nici regină, nici zînă, ci fiica măriei-voastre, Rozeta, pe care aţi binevoit s-o aduceţi aici.

— Rozeta !? strigă regina. Rozeta îmbrăcată mai bogat decît am fost eu vreodată ?! Cine oare ţi-a dat aceste lucruri atît de frumoase ?

— Naşa, mea, doamnă. Permiteţi-mi să vă sărut mîna şi să-mi cunosc surorile.

Regina îi întinse cu multă răceală mîna, apoi îi prezentă pe Orangina şi pe Ruseta, care stăteau alături de ea. Întristată de primirea rece a părinţilor, Rozeta vru să-şi îmbrăţişeze surorile, dar ele se îndepărtară, de frică să nu le şteargă de pe faţă pudra şi roşul. Orangina se pudra pentru a ascunde culoarea galben-portocalie a feţei, iar Ruseta pentru a-şi acoperi pistruii.*

Respinsă de surorile ei, Rozeta fu curînd înconjurată de invitaţi, cărora le răspundea cu graţie şi blîndeţe, folosind diferite limbi, astfel încît toţi erau încîntaţi s-o cunoască. Surorile ei erau îngrozitor de geloase, iar regele şi regina erau furioşi că toată atenţia se îndrepta spre Rozeta.

La masă, Prinţul-cel-Fermecător, care avea cel mai frumos regat şi pe care Orangina nădăjduia să-l ia de soţ, se aşeză lîngă Rozeta şi vorbi numai cu ea tot timpul. După masă, pentru a atrage atenţia oaspeţilor, Orangina şi Ruseta s-au oferit să cînte. Ele cîntau frumos, acompaniindu-se la harpă. Rozeta, care avea un suflet bun şi dorea să fie iubită de surorile ei, le aplaudă cît putu şi lăudă măiestria lor.

* În limba franceză „taches de rousseur" înseamnă „pistrui".

Orangina, în loc să fie mişcată de felul cum se purta Rozeta, voi s-o umilească invitînd-o să cînte şi ea. Rozeta refuză cu modestie. Regina se alătură şi ea insistenţelor Oranginei şi Rusetei, fiind încredinţate toate trei că Rozeta nu ştie să cînte.

— Mă supun, spuse atunci Rozeta luînd harpa.

Surorile rămaseră uimite de ţinuta ei plină de graţie, iar cînd începu să cînte ar fi dorit s-o oprească, pentru că măiestria ei era cu mult mai mare decît a lor.

Cînd vocea ei frumoasă şi melodioasă cîntă un cîntec, compus de ea însăşi, despre fericirea de a fi bună şi iubită de familia ei, avu loc o asemenea manifestare de admiraţie, încît surorile ei erau gata să leşine de invidie.

Prinţul-cel-Fermecător era atît de emoţionat, încît cu ochii plini de lacrimi se apropie de Rozeta şi-i spuse :

— Fermecătoare prinţesă, niciodată n-am ascultat o voce mai dulce. Aş fi fericit să vă mai ascult o dată.

Rozeta, care observase gelozia surorilor sale, se scuză spunînd că e obosită.

Prinţul-cel-Fermecător ghici adevărata pricină a refuzului Rozetei şi o admiră şi mai mult.

Regina, supărată de succesul Rozetei, termină devreme petrecerea şi toată lumea se retrase.

Rozeta se dezbrăcă şi puse toate gătelile într-o ladă de abanos, care ajunsese în odaia ei fără ca ea să ştie cum. În lădiţa de lemn, cu care venise de acasă, găsi lucrurile ei vechi.

Era puţin tristă de primirea rece a părinţilor şi de invidia surorilor sale. Simţămîntul neprlăcut fu şters de gîndul la Prinţul-cel-Fermecător, care părea a fi bun şi se purta atît de frumos cu ea. Adormi imediat şi se trezi a doua zi, dimineaţa tîrziu.

III
Consiliul de familie

În timp ce Rozeta avea numai gînduri vesele şi binevoitoare, surorile ei se înăbuşeau de ciudă. Se adunaseră cu toţii la regină.

— E îngrozitor, spuneau prinţesele. De ce am adus-o aici pe nesuferita de Rozeta, care cu rochiile şi giuvaerurile ei nemaipomenite stîrneşte admiraţia şi atrage privirile tuturor acestor nătărăi de regi şi prinţi ? De ce ai făcut asta, tată, ca să ne umileşti ?

— Vă jur, frumoasele mele, că Zîna-cea-Puternică mi-a poruncit s-o poftesc. Dealtfel, nici nu ştiam că e atît de frumoasă şi că...

— Frumoasă ? îl întrerupseră prinţesele. Da' de unde, e urîtă şi proastă ! E admirată numai din cauza giuvaerurilor şi a rochiilor. De ce nu ne-ai dat şi nouă cele mai frumoase pietre scumpe şi cele mai frumoase stofe ? Pe lîngă această încrezută, noi eram ca nişte cerşetoare.

— De unde să fi luat asemenea giuvaeruri ? N-am nici unul care s-ar putea măsura cu ale ei. Naşa ei, zîna, i le-a dat pe ale sale.

— De ce aţi chemat o zînă să-i fie naşă, pe cînd noi avem ca naşe doar nişte regine ?

— Nu tatăl vostru a chemat-o, spuse regina. Zîna a apărut fără să fie chemată şi ne-a spus că vrea să fie naşa Rozetei.

— Nu-i vorba acum să ne certăm, spuse regele. Trebuie să găsim un mijloc să scăpăm de Rozeta şi să-l împiedicăm pe Prinţul-cel-Fermecător s-o mai vadă.

— Nimic mai uşor, spuse regina. Am să pun mîine să i se ia giuvaerurile şi rochiile şi oamenii mei o vor duce la ţară, de unde nu va mai pleca niciodată.

N-apucă regina să rostească aceste cuvinte, că se ivi

Zîna-cea-Puternică, supărată și amenințătoare.

— Dacă vă atingeți de Rozeta, rosti ea cu voce tună-toare, dacă nu o țineți aici să asiste la toate serbările, veți suferi urmările mîniei mele. Tu, rege nedemn, și tu, regină fără inimă, veți fi transformați în broaște rîioase, iar voi, fiice și surori respingătoare, veți deveni vipere. Acum veți mai îndrăzni să vă atingeți de Rozeta ?

Spunînd acestea, zîna dispăru.

Regele, regina și prințesele se despărțiră fără a mai spune nici un cuvînt, dar cu inimile pline de ură. Prințesele dormiră puțin și, a doua zi, cînd își văzură ochii roșii, încercănați, și obrajii schimonosiți de răutate, deveniră și mai furioase. Degeaba își puseră pudră și roșu, degeaba bătură femeile de serviciu, tot nu se făcură mai frumoase.

Regele și regina, la fel de mîniați ca și prințesele, nu găseau nici un leac spre a-și alina necazul.

IV

Ziua a doua

O femeie de serviciu îi aduse Rozetei pîine și lapte și se oferi s-o ajute să se îmbrace. Rozeta îi mulțumi și îi spuse că e obișnuită să se îmbrace singură.

După ce se spălă și se pieptănă, vrînd să-și prindă în păr bijuteria din ajun, văzu cu surprindere că lada de abanos dispăruse. În locul său se afla lădița ei de lemn, cu un bilet deasupra, pe care scria :

„Lucrurile sînt acasă la tine, Rozeta. Îmbracă-te cu haine-le pe care le-ai adus de la fermă.“

Rozeta nu stătu pe gînduri, știind că nașa sa o va ajuta. Ea își aranjă aripa de găină altfel decît în ajun, precum și celelalte găteli, își îmbrăcă rochia și lucrurile vechi și se duse la oglindă. Cînd se privi, rămase uluită.

Avea cel mai bogat costum de călărie, de-a dreptul fermecător. Rochia era din catifea albastră ca cerul, cu nasturii din perle mari cît nucile. Partea de jos avea o împletitură din perle cît alunele. Pe cap purta o pălărioară din catifea, la fel cu rochia, cu o pană albă ce-i ajungea pînă la talie, prinsă cu o perlă de o mărime și de o frumusețe nemaivăzută. Ghetele erau tot din catifea albastră, brodate cu aur și cu perle. Brățările și colierul erau din perle atît de frumoase și de valoroase, încît una singură făcea cît tot palatul regelui. Cînd fu gata să părăsească odăița pentru a urma pajul care bătea la ușă o voce îi șopti la ureche :

— Rozeta, să nu te sui pe alt cal decît acela pe care ți-l va oferi Prințul-cel-Fermecător.

Întoarse capul și nu văzu pe nimeni, dar nu se îndoi că sfatul venea de la Zîna-cea-Puternică.

— Mulțumesc scumpa mea nașă ! șopti ea. Simți pe obraz un sărut plăcut și fu fericită și recunoscătoare.

Pajul o conduse, ca și în ajun, în saloanele cu musafiri, unde făcu o impresie mai puternică decît în prima zi. Înfățișarea ei blîndă și modestă, figura ei încîntătoare, ținuta elegantă și îmbrăcămintea nemaipomenit de frumoasă atrăgeau toate privirile și cucereau toate inimile.

Prințul-cel-Fermecător, care o aștepta, o întîmpină, îi oferi brațul și o conduse lîngă rege și regină, care o primiră cu și mai multă răceală decît în ajun. Cînd surorile ei văzură frumosul costum de călărie, de ciudă nici nu-i dădură bună ziua.

Rozeta era cam stînjenită de purtarea familiei ei, iar Prințul-cel-Fermecător, observînd aceasta, se apropie de ea și-i ceru permisiunea de a fi cavalerul ei în timpul vînătorii în pădure.

— Va fi o mare plăcere pentru mine, spuse cu sinceritate Rozeta.

— Am o asemenea dragoste pentru dumneavoastră, frumoasă prințesă, de parcă mi-ați fi soră. Dați-mi voie să nu vă părăsesc și să vă apăr împotriva tuturor.

— Voi fi onorată de a mă afla în tovărășia unui prinț atît de demn de numele ce-l poartă.

Prințul-cel-Fermecător, încîntat de răspuns, nu se mai îndepărta de Rozeta, în ciuda invidiei surorilor ei și a încercărilor de a-l atrage spre ele.

După dejun coborîră în curtea de onoare, pentru a încăleca pe cai. Un paj aduse Rozetei un cal negru, frumos, dar atît de năravaș, încît cu greu îl puteau stăpîni doi grăjdari.

— Să nu încălecați acest cal, prințesă, vă va omorî. Adu alt cal, spuse prințul pajului.

— Regele și regina au poruncit ca prințesa să nu încalece decît acest cal.

— Dragă prințesă, vă rog să așteptați o clipă, vă voi aduce eu un cal demn să vă poarte, dar nu cumva să vă urcați pe acesta.

— Vă voi aștepta, prințe, spuse Rozeta surîzînd.

Peste cîteva momente, prințul aduse Rozetei un cal alb ca zăpada, minunat de frumos, cu o șa albastră brodată cu perle și cu un căpăstru din aur și diamante. Calul îngenunche lîngă Rozeta și nu se ridică decît după ce ea se așeză bine în șa. Prințul sări sprinten pe calul său roib și se alătură Rozetei.

Regele, regina și prințesele văzuseră totul ; erau galbeni de mînie, dar, de frica zînei, nu îndrăzneau să se împotrivească prințului.

Regele dădu semnalul de plecare. Fiecare doamnă avea cavalerul ei.

Orangina și Ruseta fură nevoite să se mulțumească cu doi prinți care nu erau nici frumoși, nici nu știau să se poarte ca Prințul-cel-Fermecător. Erau atît de morocănoase, încît cavalerii lor jurară că nu se vor căsători niciodată cu asemenea prințese nesuferite.

Rozeta şi Prinţul-cel-Fermecător nu urmară cortegiul de vînătoare, ci se plimbară prin aleile pădurii, vorbind şi povestindu-şi viaţa.

— Dacă tatăl dumneavoastră v-a îndepărtat de el, cum se poate că v-a dăruit cele mai frumoase giuvaeruri, demne de o zînă ?

— Buna mea naşă mi le-a dat, spuse Rozeta, povestindu-i că a crescut la ţară, că tot ce ştie îi datorează zînei care a avut grijă de educaţia ei şi care-i dădea tot ce-şi dorea.

Prinţul o asculta cu interes. La rîndul său, îi povesti că a rămas orfan la şapte ani şi tot Zîna-cea-Puternică s-a ocupat de educaţia lui, că ea l-a trimis la serbările regelui, spunîndu-i că va găsi acolo o prinţesă care va fi pentru el o soţie foarte potrivită.

— Cred, dragă Rozeta, că tu eşti acea prinţesă despre care mi-a vorbit zîna. Dacă vrei să-ţi legi viaţa de a mea, binevoieşte să-mi dai încuviinţarea să te cer părinţilor tăi.

— Înainte de a-ţi răspunde, prinţe, trebuie să am învoirea naşei mele. Dar crede-mă că aş fi fericită să-mi petrec viaţa lîngă tine.

Dimineaţa trecu foarte plăcut pentru amîndoi. Se întoarseră la palat pentru masa de prînz. Rozeta urcă în camera ei şi văzu un cufăr foarte frumos din lemn de trandafir, care era deschis, dar gol. Pe măsură ce se dezbrăca, lucrurile se aşezau singure în cufăr, apoi cufărul se închise.

Rozeta se îmbrăcă cu rochia ei veche şi cînd se duse la oglindă nu-şi putu stăpîni un strigăt de admiraţie. Rochia era dintr-un voal foarte fin, lucrat parcă din aripi de fluture, uşor şi strălucitor. Ţesătura era toată presărată cu diamante, care luceau ca stelele. Partea de jos a rochiei, bluza şi talia erau împodobite cu franjuri din diamante, care luceau şi mai puternic. Capul era pe jumătate acoperit cu o reţea de diamante mici ce se termina cu alte diamante, atît de mari că-i ajungeau pînă la gît. Fiecare diamant valora cît un regat.

Colierul şi brăţările erau tot din pietre scumpe frumoase, ce străluceau de-ţi luau ochii.

Rozeta mulţumi din inimă naşei sale şi din nou simţi sărutul ei pe obraz. Cînd ajunse în salon, prinţul o aştepta la uşă ; îi oferi braţul şi o conduse în salonul în care se aflau regele şi regina. Rozeta se duse să-i salute. Prinţul-cel-Fermecător văzu cu mîhnire privirile furioase ce-i aruncau părinţii şi surorile ei. Ca şi în timpul dimineţii, el rămase tot timpul lîngă Rozeta şi fu martorul admiraţiei pe care o stîrnea la toţi musafirii, dar şi a invidiei surorilor ei. Rozeta era foarte tristă văzînd ura familiei sale.

Cînd prinţul o întrebă care e cauza tristeţii, ea îi răspunse cu sinceritate...

— Cînd îmi vei îngădui, dragă Rozeta, să te cer în căsătorie părinţilor tăi ? În regatul meu toată lumea te va iubi, iar eu, mai mult decît toţi.

— Mîine, dragă prinţe, îţi voi da răspunsul naşei mele pe care o voi întreba.

Se aşezară la masă ; prinţul, lîngă Rozeta, cu care vorbi tot timpul.

După-masă, regele porunci să se înceapă balul. Orangina şi Ruseta, care învăţau să danseze de zece ani, dansau bine, dar fără graţie. Bănuind că Rozeta nu ştie să danseze, pentru că nu avusese ocazia la ferma unde crescuse, anunţară cu batjocură că e rîndul ei. Modestă, Rozeta se scuză nevrînd să danseze în public şi să atragă din nou atenţia asupra ei. Dar cu cît ea refuza, cu atît mai mult stăruiau surorile sale, fiind sigure că o vor umili.

Regina interveni poruncind Rozetei să execute acelaşi dans ca şi surorile ei. Rozeta nu putea să nu îndeplinească porunca reginei. Prinţul-cel-Fermecător, văzînd încurcătura în care se afla Rozeta, îi şopti :

— Voi fi cavalerul tău, Rozeta. Cînd nu vei cunoaşte paşii ce trebuie făcuţi, îi voi face singur.

— Mulţumesc, dragă prinţe, eşti bun ! Primesc cu plăcere să-mi fii cavaler şi nădăjduiesc că nu te voi face de ruşine.

Începură să danseze. Niciodată nu s-a văzut un dans mai uşor, mai vioi, mai graţios. Toţi musafirii se uitau la ei cu o admiraţie din ce în ce mai mare. Rozeta dansa mult mai frumos decît surorile ei. Orangina şi Ruseta erau atît de furioase, încît îşi ieşiră din minţi şi erau gata să sară asupra Rozetei, s-o bată, să-i smulgă diamantele. Regele şi regina, care nu le pierdeau din ochi, ghicindu-le gîndul, le şoptiră :

— Feriţi-vă de Zîna-cea-Puternică. Aveţi răbdare, mîine e ultima zi.

Cînd Rozeta şi prinţul terminară dansul, izbucniră aplauze din toate părţile şi toţi stăruiau să mai danseze o dată. Cum nu erau obosiţi, nu se lăsară rugaţi şi dansară un dans nou, şi mai frumos decît primul. Văzînd aceasta surorile Rozetei, înăbuşindu-se de ură şi invidie, au leşinat şi au fost duse în camerele lor. Din cauza mîniei, feţele lor erau atît de schimonosite, încît nu se mai vedea nici urmă de frumuseţe. Nimănui nu-i fu milă de ele, pentru că toţi văzuseră răutatea lor şi purtarea duşmănoasă faţă de Rozeta. Văzînd că aplauzele şi admiraţia pentru ea erau din ce în ce mai răsunătoare, Rozeta se retrase în grădină. Prinţul o urmă ; ei se plimbară şi îşi făcură planuri pentru viitorul lor, dacă Zîna le va permite să se căsătorească. Diamantele Rozetei străluceau atît de puternic încît aleile prin care treceau păreau luminate de mii de stele.

— Pe mîine, îi spuse prinţul, cînd se despărţiră, şi nădăjduiesc ca mîine să pot spune : pentru totdeauna !

Rozeta se urcă în camera ei. După ce se dezbrăcă, lucrurile se aşezară ca şi în ajun, singure, într-un cufăr şi mai frumos, din abanos împodobit cu peruzele. După ce se culcă, Rozeta stinse lampa şi şopti :

— Scumpa şi buna mea naşă, ce trebuie să-i răspund Prinţului-cel-Fermecător ? Spune-mi şi, orice vei hotărî, te voi asculta.

— Spune-i da, draga mea Rozeta, răspunse vocea dulce a zînei. Eu am pus la cale această căsătorie. Ca să-l poți cunoaşte pe Prinţul-cel-Fermecător, am poruncit tatălui tău să te poftească la serbări.

Rozeta mulţumi zînei şi adormi, după ce simţi pe obraji sărutările gingaşe ale naşei sale.

V

A treia şi ultima zi

În timp ce Rozeta dormea liniştită, regele, regina şi cele două surori, înnebuniţi de furie, se certau, se învinuiau unii pe alţii din cauza succesului Rozetei şi a umilinţei lor. Mai aveau o singură nădejde. A doua zi avea loc o cursă de care romane. La fiecare car erau înhămaţi doi cai şi doamnele trebuiau să conducă. Pregătiseră pentru Rozeta un car foarte înalt, care se răsturna uşor şi la care erau înhămaţi doi cai nărăvaşi. Prinţul-cel-Fermecător, gîndeau ei, nu va avea de unde să ia un alt car cu alţi cai.

Gîndul că Rozeta ar putea să fie omorîtă sau desfigurată îi linişti.

Regele, regina şi surorile Rozetei se culcară, visînd la mijloacele cele mai potrivite pentru a scăpa de Rozeta, în cazul cînd cursa de care nu va reuşi aşa cum doreau ei. Surorile Rozetei dormiră puţin şi arătau mai urîte şi mai schimonosite decît în ajun. Rozeta, cu conştiinţa curată şi cu fericirea în suflet, dormi bine toată noaptea. Femeia de serviciu îi aduse o cană cu lapte şi o bucată de pîine neagră. Aşa poruncise regina. Rozeta nu era mofturoasă ; mîncă cu poftă pîinea şi laptele, apoi începu să se îmbrace. De data aceasta zîna îi pregătise o rochie din mătase galbenă, brodată cu safire şi smaralde. Pălăria era din catifea albă împodobită cu pene de toate culorile, prinse cu un safir mare cît un ou. La gît avea un lanţ din pietre de safir, de care era prins un ceas al cărui

73

cadran era din opal, capacul dintr-un singur safir, iar sticla din diamant. Acest ceas mergea tot timpul, nu se strica şi nu trebuia întors.

Prinţul-cel-Fermecător o aştepta nerăbdător. Îi ieşi înainte, îi oferi braţul şi o întrebă grăbit :

— Ei, prinţesă dragă, ce ţi-a spus zîna ? Ce răspuns îmi dai ?

— Răspunsul pe care mi-l dictează inima, prinţul meu drag. Îţi voi închina viaţa mea, aşa cum mi-o închini tu pe a ta.

— Îţi mulţumesc de o sută de ori, scumpă şi încîntătoare Rozeta. Cînd te voi putea cere regelui ?

— Cînd ne vom întoarce de la cursa de care, dragă prinţe.

— Îmi îngădui să adaug cererii mele pe aceea de a ne căsători chiar astăzi ? Vreau să te scap cît mai repede de tirania familiei tale şi să te duc în regatul meu.

În timp ce Rozeta stătea la îndoială, zîna îi şopti să primească. Acelaşi lucru îi şopti şi prinţului : „Grăbeşte căsătoria şi vorbeşte regelui cît mai curînd. Viaţa Rozetei e în pericol şi nu voi putea veghea asupra ei timp de opt zile, începînd de astăzi, la apusul soarelui.“

Prinţul tresări şi-i spuse Rozetei cele auzite.

— Cu siguranţă că Zîna-cea-Puternică ne înştiinţează, şi trebuie să ţinem seama de ce spune ea.

Rozeta se duse să-i salute pe rege, pe regină şi pe surorile ei, care nu-i răspunseră şi nu se uitară la ea.

Rozeta fu înconjurată de o mulţime de prinţi şi regi care toţi voiau s-o ceară în căsătorie, dar nu îndrăzneau din cauza Prinţului-cel-Fermecător care era tot timpul lîngă ea. După ce mîncară, coborîră pentru a se urca în care.

Bărbaţii trebuiau să încalece pe cai, iar femeile să conducă singure carele. I se aduse Rozetei carul poruncit de regină. Prinţul n-o lăsă pe Rozeta să se urce.

— Să nu te urci în acest car. Priveşte caii, prinţesă.

Rozeta văzu că fiecare cal era ţinut de patru oameni, iar caii tropăiau pe loc şi săreau furioşi.

În aceeaşi clipă, un jocheu micuţ şi frumos, îmbrăcat cu o haină de mătase galbenă cu fireturi albastre, striga cu o voce plăcută :

— Echipajul prinţesei Rozeta.

Se apropie un car mic din perle şi sidef, la care erau înhămaţi doi cai albi, cu hamuri din catifea galbenă cu safire.

Prinţul-cel-Fermecător nu ştia dacă s-o lase pe Rozeta să se urce în carul prezentat de paj, pentru că se temea de o nouă cruzime pusă la cale de familia Rozetei. Vocea zînei îi şopti : „Las-o să se urce ! Carul şi caii sînt un dar din partea mea. Urmeaz-o peste tot unde o va duce carul. Ziua trece şi nu mai am decît cîteva ore pentru Rozeta. Ea trebuie să ajungă încă astă-seară în regatul tău".

Prinţul o ajută pe Rozeta să se urce în car şi el încalecă pe calul său.

Toate carele porniră. Prinţul călărea tot timpul după carul Rozetei. Între timp, două care, conduse de două femei voalate, încercau s-o întreacă pe Rozeta. Unul dintre ele se avîntă cu o asemenea forţă asupra carului prinţesei, încît l-ar fi făcut bucăţi dacă n-ar fi fost fabricat de zîne. Carul cel greu se răsturnă, se sfărîmă şi femeia voalată fu aruncată peste nişte grămezi de pietre, unde rămase nemişcată. Pe cînd Rozeta, care recunoscuse pe Orangina, căuta să oprească spre a-i veni în ajutor, celălalt car se năpusti asupra carului ei, cu aceeaşi putere ca şi primul. Acest car se sfărîmă şi el, iar femeia voalată, care nu era alta decît Ruseta, fu azvîrlită pe pietre lîngă Orangina. Rozeta voi să coboare, dar prinţul o împiedică. Iar vocea le şopti :

„Mergeţi înainte. Regele vine în goană după voi cu o ceată numeroasă, pentru a vă omorî. Peste puţine ore va apune soarele. Abia voi avea timp să vă salvez. Lăsaţi caii mei să vă ducă şi tu părăseşte-l pe al tău, prinţe."

Prinţul sări în car lîngă Rozeta care, din cauza emoţiilor,

era mai mult moartă decît vie. Caii porniră cu o asemenea viteză, încît făceau douăzeci de leghe pe oră. Mult timp îl văzură pe rege urmărindu-i cu o ceată de oameni înarmați, dar ei nu puteau ajunge din urmă carul zînei care zbura tot mai repede, ajungînd pînă la o sută de leghe pe oră. Goniră astfel timp de șase ore, apoi se opriră în curtea palatului prințului. Palatul era luminat, curtenii în haine de sărbătoare îi așteptau.

Prințul și Rozeta, surprinși de această primire, o văzură pe Zîna-cea-Puternică, iar aceasta le spuse:

— Bine ai venit în palatul tău, rege, totul e pregătit pentru nuntă. Condu-o pe Rozeta în apartamentul ei ca să se îmbrace, iar eu, în acest timp, îți voi explica ceea ce nu poți înțelege din tot ce s-a petrecut astăzi. Mai am o oră liberă.

Zîna și Regele-cel-Fermecător o conduseră pe Rozeta în odăile ei, foarte frumos mobilate, unde o așteptau mai multe femei spre a o ajuta să se îmbrace pentru nuntă.

— Voi reveni să te iau peste puțin timp, draga mea Rozeta, minutele îmi sînt numărate.

Zîna îi spuse apoi Regelui-cel-Fermecător:

— Ura regelui și a reginei împotriva Rozetei devenise atît de violentă, încît erau hotărîți să înfrunte răzbunarea mea și s-o ucidă pe Rozeta. Văzînd că șiretenia cu carele de curse nu le-a reușit, au hotărît să folosească forța armelor pentru a vă distruge pe amîndoi. Regele a adunat o ceată de bandiți, care au jurat că îl vor asculta orbește. Au alergat pe urmele voastre, dar nu v-au putut ajunge. Orangina și Ruseta, necunoscînd planul regelui, au încercat și ele s-o omoare pe Rozeta. Le-am pedepsit așa cum au meritat. Orangina și Ruseta sînt acum îngrozitoare la vedere. Le-am readus la viață, le-am vindecat rănile, dar le-am lăsat cicatrice urîte care le desfigurează. Le-am îmbrăcat cu haine țărănești și le-am măritat cu niște îngrijitori de cai. Ei au poruncă să le țină din scurt pînă se vor îndrepta.

Pe rege și pe regină i-am transformat în vite de povară și i-am dat la niște oameni răi, care îi vor face să plătească pentru cruzimea lor față de Rozeta. Toți patru sînt în regatul tău, osîndiți să audă mereu laudele aduse Rozetei și soțului ei. Mai am un sfat să-ți dau, dragul meu : să nu-i spui Rozetei toate acestea. Pedeapsa ce a trebuit s-o dau părinților și surorilor ei i-ar tulbura fericirea, iar eu nu pot să iert oamenii răi, care nu se mai pot îndrepta.

Regele-cel-Fermecător mulțumi zînei și-i făgădui că va păstra taina.

Se duseră s-o ia pe Rozeta, care era îmbrăcată cu rochia pregătită de zînă. Rochia era dintr-o țesătură fină brodată cu fir de aur și pietre scumpe de cele mai diferite culori, care înfățișau flori și păsări. La fiecare mișcare a Rozetei, se producea un ciripit mai plăcut decît cea mai melodioasă muzică. Pe cap avea o coroană de flori din pietre scumpe. Pe gît și pe brațe avea de asemenea giuvaeruri care străluceau ca soarele. Regele-cel-Fermecător era amețit de frumusețea Rozetei. Zîna îi spuse :

— Repede, repede, să mergem, mai am doar o jumătate de oră. Trebuie să mă duc la Regina Zînelor și pentru opt zile îmi voi pierde toată puterea. Toate sîntem supuse acestei legi.

Regele-cel-Fermecător o luă de mînă pe Rozeta. Zîna mergea înainte. Cînd ajunseră în saloane, zîna dispăruse. Știind că o vor revedea peste opt zile, nu se necăjiră. Regele o prezentă pe Rozeta curtenilor care o găsiră încîntătoare, tot atît de bună ca și regele, și toți o iubiră ca și pe scumpul lor rege.

Ca o atenție deosebită pentru Rozeta, zîna a transportat în regatul lor ferma în care crescuse Rozeta și a așezat-o la marginea parcului palatului, astfel că Rozeta o putea vedea zilnic pe doica ei iubită. Zîna transportase în palatul regal și rochiile pe care le purtase Rozeta la serbări.

Regele-cel-Fermecător și Rozeta au trăit fericiți toată viața.

Rozeta n-a aflat niciodată de pedeapsa îngrozitoare suferită de părinții și surorile ei.

Cînd îl întrebă pe soțul ei ce știe despre surorile ei, el îi spuse că au avut niște zgîrieturi pe obraz, dar că le-a trecut și s-au măritat. Îi mai spuse că zîna a interzis Rozetei să se mai intereseze de ele.

Orangina și Ruseta, care cu cît erau mai nenorocite cu atît deveneau mai rele, au rămas pentru totdeauna urîte. Regele și regina, transformați în vite de povară, nu aveau altă mîngîiere decît să se muște unul pe altul.

Ei au fost nevoiți să ducă pe stăpînii lor la nunta Rozetei și turbau de mînie auzind laudele ce i se aduceau cînd trecea ea pe acolo. Dacă s-ar fi purtat bine, ei și-ar fi recăpătat înfățișarea de oameni.

Se spune că de șase mii de ani sînt tot vite de povară.

Şoricelul cenuşiu

I

Căsuţa

Într-o casă mare, înconjurată de o grădină frumoasă, trăia un om bogat, împreună cu fiica sa Rozalia. Mama fetei murise la cîteva zile după ce o născuse. Tatăl îşi crescuse copila singur, cu multă dragoste şi blîndeţe, şi o obişnuise să fie ascultătoare. Îi interzicea să-i pună întrebări pentru a afla lucruri pe care el nu voia să i le spună şi avea mare grijă să nu se dezvolte în ea cusurul curiozităţii.

Rozalia nu ieşea niciodată din grădina împrejmuită cu ziduri înalte. Nu vedea pe nimeni în afară de tatăl său. Nu aveau servitori ; în casă părea că totul se face de la sine. Rozalia nu ducea lipsă de nimic. Avea mîncare, îmbrăcăminte, cărţi, jucării. Deşi în vîrstă de aproape cincisprezece ani, viaţa singuratică pe care o ducea nu o plictisea şi nici prin gînd nu-i trecea că ar putea trăi altfel.

În fundul grădinii se găsea o căsuţă fără ferestre şi cu o singură uşă, care era totdeauna încuiată. Tatăl Rozaliei intra zilnic în căsuţă, dar ţinea cheia la el. Rozalia era încredinţată că acolo e o magazie unde se ţin uneltele pentru grădină. Într-o zi căuta o stropitoare pentru a-şi uda florile şi ceru tatălui ei cheia căsuţei.

— Pentru ce îţi trebuie această cheie ?

— Îmi trebuie stropitoarea şi cred că o voi găsi în căsuţă.

Cu o voce foarte schimbată, tatăl îi răspunse că în căsuţă nu e nici o stropitoare. Surprinsă de tonul schimbat al vocii lui, Rozalia îl privi şi văzu că era galben la faţă şi parcă speriat.

— Ce ai, tată ? îl întrebă ea îngrijorată.

— Nimic, copila mea, nimic.

— Dar ce se află în căsuţă, de te-ai înspăimîntat astfel cînd ţi-am cerut cheia ?

— Vezi-ţi de treabă, Rozalia, stropitoarea e în seră.

— Tată, spune-mi, ce se află în căsuţă ?

— Nimic care te-ar putea interesa, Rozalia.

— De ce te duci în fiecare zi la căsuţă şi nu-mi dai voie să te însoţesc ?

— Rozalia, ştii bine că nu-mi place să pui întrebări. Curiozitatea este un cusur urîcios.

Rozalia nu mai spuse nimic, dar rămase pe gînduri. Căsuţa aceasta, la care nu se gîndise niciodată, acum nu-i ieşea din minte.

„Ce să fie în această căsuţă de s-a înspăimîntat tata cînd am vrut să mă duc acolo ? S-a gîndit că e primejdios pentru mine, dar el de ce se duce zilnic ? Poate duce de mîncare unei fiare sălbatice pe care o ţine închisă ? Dacă ar fi o fiară sălbatică aş auzi urletele ei, dar nu se aude nici cel mai mic zgomot, nici o mişcare. Ar putea să-l sfîşie pe tata cînd se duce acolo, dar poate că e legată. Şi dacă-i legată, atunci nu-i primejdios nici pentru mine. Ce să fie oare ? Un prizonier ?

Nu, tatăl meu e bun, n-ar ţine el un nenorocit nevinovat fără aer, fără libertate. Trebuie să descopăr taina. Cum să fac ? De-aş putea să am cheia măcar o jumătate de oră ! Poate o va uita într-o zi.“

Rozalia fu trezită din aceste gînduri, care îi chinuiau mintea, de tatăl ei care o strigă cu o voce schimbată.

— Vin imediat, tată.

Cînd intră în casă, văzu că tatăl ei era la fel de tulburat şi supărat. Înfăţişarea lui o puse din nou pe gînduri, dar, pentru a-l linişti, se prefăcu veselă şi nepăsătoare. În felul acesta, îşi spunea ea, el nu se va mai gîndi tot timpul la cheie şi ea va reuşi să i-o sustragă. Se aşezară la masă. Tatăl mîncă puţin, era tăcut şi trist deşi se silea să pară vesel.

Văzînd-o pe Rozalia voioasă şi fără griji, se mai linişti şi el.

Rozalia avea să împlinească peste trei săptămîni cincisprezece ani. Tatăl îi făgădui de ziua ei o surpriză plăcută. Mai trecu un timp ; avea de aşteptat numai cincisprezece zile.

Într-o zi tatăl îi spuse Rozaliei :

— Copila mea dragă, trebuie să lipsesc o oră, în legătură cu ziua ta de naştere. Aşteaptă-mă în casă. Te rog, Rozalia, să nu te laşi ispitită de curiozitate. Peste cincisprezece zile vei afla tot ce doreşti atît de mult să ştii. Îţi ghicesc gîndurile, ştiu ce te frămîntă. Rămîi sănătoasă, copila mea, şi fereşte-te de curiozitate !

O îmbrăţişă şi plecă cu părere de rău că o lasă singură.

După plecarea tatălui ei, Rozalia alergă în camera lui şi văzu cu bucurie că uitase cheia pe masă. O luă repede şi fugi spre căsuţă. Cînd s-o deschidă, îşi aminti de cuvintele lui : fereşte-te de curiozitate. Stătu la îndoială şi era gata să pună cheia la loc, fără a intra în căsuţă. Deodată auzi un geamăt. Lipi urechea de uşă şi auzi o voce slabă care cînta încetişor :

Sînt în închisoare,
Singură pe lume,

Curînd voi muri,
De aici nu voi ieşi.

„Cu siguranţă, gîndi ea, că-i o biată fiinţă pe care tatăl meu o ţine închisă."

Bătu încet în uşă şi spuse:

— Cine eşti şi cu ce te pot ajuta?

— Deschide, Rozalia! Te rog, deschide.

— De ce eşti închisă? Ai făcut vreun lucru rău?

— Vai, nu, Rozalia, un vrăjitor mă ţine aici. Salvează-mă şi îţi voi arăta recunoştinţă, povestindu-ţi cine sînt.

Rozalia nu mai stătu la îndoială. Curiozitatea fu mai puternică decît cuminţenia. Puse cheia în broască, dar mîna îi tremura atît de tare încît nu era în stare să deschidă. Era aproape să renunţe cînd vocea îi spuse:

— Rozalia, din cele ce-ţi voi povesti vei afla multe lucruri care te interesează. Tatăl tău nu este ceea ce pare a fi.

Auzind aceste cuvinte, Rozalia făcu o sforţare şi reuşi să descuie uşa.

II

Zîna-cea-Nesuferită

Rozalia se uită în căsuţă, curioasă să vadă cine e acolo. Era întuneric şi nu vedea nimic. Auzi vocea slabă spunînd:

— Mulţumesc, Rozalia, ţie îţi datorez libertatea.

Vocea venea de undeva de jos. Se uită şi văzu într-un colţ doi ochi mici care o priveau cu răutate.

— Mi-a reuşit şiretenia, te-am făcut să te supui curiozităţii tale. Dacă nu m-ai fi auzit cîntînd şi vorbind, ai fi plecat şi eu aş fi pierit. Acum tu şi tatăl tău sînteţi în puterea mea.

Rozalia încă nu-şi dădea seama ce nenorocire mare a adus prin neascultarea ei, dar simţea că sub înfăţişarea acelei ființe, se ascunde un dușman periculos pe care tatăl ei îl ținea închis. Ea voi să iasă repede și să închidă ușa cu cheia.

— Stai pe loc, Rozalia ! Nu mai e în puterea ta să mă ții în această închisoare, din care n-aș mai fi ieșit niciodată după ce tu ai fi împlinit cincisprezece ani.

În aceeași clipă, căsuța dispăru. Rozalia rămase înmărmurită, cu cheia în mînă. Văzu atunci lîngă ea un șoricel cenușiu care o privea cu ochi scînteietori, rîdea și spunea cu o voce hîrîită :

— Hi, hi, hi ! Ce față speriată ai, Rozalia ! Îmi place să te văd așa. Ce drăguț din partea ta că ai fost atît de curioasă. De cincisprezece ani stau aici fără să pot face vreun rău tatălui tău, pe care îl urăsc. Pe tine te disprețuiesc pentru că ești fiica lui.

— Dar cine ești, șoarece rău ?

— Sînt dușmana familiei tale, drăguță. Mă numesc Zînacea-Nesuferită și te asigur că numele mi se potrivește. Nimeni nu mă poate suferi și nici eu nu pot suferi pe nimeni. Te voi urma peste tot, Rozalia.

— **Lasă-mă, urîcioaso !** De-un șoarece n-are de ce să-mi fie frică și am să găsesc eu ac de cojocul tău !

— Vom vedea noi, drăguțo. Mă voi ține de tine pas cu pas.

Rozalia alergă spre casă, dar șoarecele mergea după ea rîzînd batjocoritor. Ajunsă acasă, Rozalia voi să prindă șoarecele cu ușa, dar ușa nu se închidea, cu toate sforțările fetei, iar șoarecele stătea pe prag.

— Așteaptă tu, animal rău, strigă fata, scoasă din fire de ciudă și de frică. Apucă o mătură ca să lovească șoarecele, dar mătura luă foc și-i arse mîinile. Aruncă mătura jos și o împinse în sobă ca să nu ardă dușumeaua. Apucă un vas cu apă care fierbea pe foc pentru a opări șoarecele, dar apa se prefăcu în lapte proaspăt pe care șoarecele se puse să-l bea, spunînd cu batjocură :

— Că bună ești, drăguță Rozalia ! Nu-i destul că m-ai

eliberat, îmi serveşti şi o masă gustoasă.

Biata Rozalia nu mai ştia ce să facă. Începu să plîngă amarnic, cînd îl auzi pe tatăl ei venind.

— Vai, vine tata! Ah, şoricelule, te gor, fie-ţi milă, pleacă să nu te vadă.

—. N-am să plec, dar am să mă ascund în dosul tocurilor tale pînă cînd tatăl tău va afla ce-ai făcut.

Abia apucă şoarecele să se ascundă, că tatăl şi intră în casă. Se uită la Rozalia, galbenă la faţă, stînjenită; se vedea bine că e speriată de ceva.

— Rozalia, spuse el cu o voce tremurîndă, am uitat cheia căsuţei. Ai găsit-o cumva?

Rozalia îi întinse cheia roşind.

— Cine a răsturnat laptele?

— Pisica, tată.

— Pisica? Dar cum a putut aduce pisica ceaunul cu lapte în mijlocul camerei, ca să-l răstoarne?

— Nu, tată, eu l-am răsturnat.

Rozalia vorbea încet şi nu îndrăznea să se uite în ochii tatălui ei.

— Ia mătura şi strînge laptele!

— Nu mai avem mătură.

— Cum n-avem mătură? Cînd am plecat era aici.

— Am ars-o tată, din greşeală, voiam să... şi se opri. Tatăl se uită la ea nedumerit, aruncă o privire în jurul camerei, suspină şi porni spre căsuţă. Rozalia căzu pe un scaun, plîngînd. Şoarecele nu se mai mişca. Tatăl se întoarse cu chipul desfigurat de spaimă.

— Rozalia, copil nenorocit, ce-ai făcut? Ai căzut pradă curiozităţii şi ai eliberat pe cel mai crud duşman al nostru.

— Tată, iartă-mă, te rog, iartă-mă! strigă Rozalia aruncîndu-i-se la picioare. Nu mi-am dat seama ce rău fac.

— Aşa se întîmplă totdeauna cînd nu asculţi. Crezi că

faci .un rău mic, şi cînd colo aduci nenorocire asupra ta şi a altora.

— Dar ce-i acest şoarece care te îngrozeşte atît de mult ? Dacă e atît de puternic, cum de l-ai putut ţine închis şi de ce nu-l închizi din nou ?

— Acest şoarece e o zînă rea şi puternică. Eu însumi sînt Duhul-cel-Prevăzător. De vreme ce tu ai eliberat-o pe duşmana mea, îţi pot destăinui ceea ce trebuia să-ţi ascund pînă în ziua cînd împlineai cincisprezece ani.

Cum îţi spuneam, sînt Duhul-cel-Prevăzător. Mama ta era o simplă muritoare, dar era atît de frumoasă şi bună, încît Regina Zînelor şi Regele Duhurilor, înduioşaţi de virtuţile ei, mi-au dat voie s-o iau de soţie. La serbările date în cinstea căsătoriei, am uitat s-o poftesc pe Zîna-cea-Nesuferită, care şi aşa era supărată că n-am vrut să mă căsătoresc cu una din fiicele ei. De atunci îmi poartă o ură de moarte mie şi familiei mele. Nu-mi era frică de ameninţările ei, pentru că puterea mea era la fel de mare ca şi a ei, iar pe mine mă iubea foarte mult Regina Zînelor. De mai multe ori am împiedicat-o să ne facă vreun rău. La scurt timp după ce te-ai născut tu, mama ta a fost cuprinsă de nişte dureri puternice pe care nu le puteam linişti. Am lipsit puţin timp de acasă ca să cer ajutorul Reginei Zînelor. Cînd m-am întors, mama ta murise. Zîna aceasta rea a omorît-o în timp ce eu lipseam. Era pe cale să sădească în tine toate relele şi toate viciile posibile, dar, din fericire, m-am întors la timp pentru a o împiedica. Am oprit-o tocmai în momentul cînd reuşise să te înzestreze cu o curiozitate ce trebuia să te nenorocească, şi de la cincisprezece ani să cazi sub influenţa ei pentru toată viaţa.

Cu puterea mea şi ajutat de Regina Zînelor, am reuşit să îi slăbim vraja şi am hotărît că nu vei intra în stăpînirea ei decît dacă pînă la cincisprezece ani vei cădea de trei ori pradă curiozităţii tale, în împrejurări foarte grele. În acelaşi timp, pentru a o pedepsi, Regina Zînelor a prefăcut-o într-un şoarece şi a închis-o în căsuţa pe care ai văzut-o.

Regina Zînelor a hotărît că nu va putea ieşi de acolo decît dacă tu îi vei deschide de bună voie uşa. Că nu-şi va relua înfăţişarea de zînă decît dacă tu te vei lăsa ispitită de curiozitate de trei ori, înainte de a împlini cincisprezece ani. În sfîrşit, dacă vei rezista măcar o dată acestei înclinări rele, vei fi eliberată pentru totdeauna, împreună cu mine, din puterea acestei zîne rele. Am obţinut aceste favoruri cu mari greutăţi şi numai făgăduind că voi împărtăşi soarta ta şi voi deveni ca şi tine sclavul duşmancei mele, dacă tu nu-ţi vei înfrînge curiozitatea măcar o dată. Mi-am luat obligaţia de a te creşte astfel încît să stîrpesc în tine acest cusur care aduce atîta nenorocire.

Iată de ce te-am ţinut izolată aici şi nu ţi-am dat voie să vezi pe nimeni. Datorită puterii mele, aduceam tot ce-ţi trebuia, tot ce doreai, şi eram bucuros că reuşisem. Mai erau doar trei săptămîni pînă la ziua ta, şi ai fi fost eliberată pentru totdeauna din jugul acestei zîne rele, cînd iată că mi-ai cerut cheia la care nu te gîndiseşi niciodată. Nu ţi-am putut ascunde cît de mult m-a îngrijorat aceasta. Turburarea mea ţi-a stîrnit şi mai mult curiozitatea. Deşi te prefăceai că eşti veselă şi nu-ţi pasă de nimic, eu ghiceam gîndurile tale. Acum închipuieşte-ţi durerea mea, cînd Regina Zînelor mi-a poruncit să las cheia pe masă pentru a te ispiti şi a te pune la încercare. Am fost silit să las această cheie a nenorocirii şi prin plecarea mea de acasă ţi-am dat prilejul de a cădea pradă ispitei. Îţi dai oare seama cît am suferit în timpul cît te-am lăsat singură ? Cînd am văzut, la întoarcere, roşeaţa din obrajii tăi şi încurcătura din care nu ştiai cum să ieşi, am înţeles că n-ai avut tăria să înfrunţi curiozitatea. Am fost silit să-ţi ascund totul, să nu-ţi vorbesc de primejdiile ce ne pîndesc decît după ce ai fi împlinit cincisprezece ani şi pericolul ar fi trecut. Dacă nu respectam această poruncă, aş fi fost pedepsit să te văd căzînd în puterea zînei.

86

Acum, Rozalia, totul încă nu e pierdut. Îți vei putea răs-cumpăra greșeala dacă timp de cincisprezece zile nu vei mai cădea în ispită. La cincisprezece ani ar trebui să te că-sătorești cu un prinț fermecător, Prințul-cel-Grațios. Acest lucru este încă cu putință. Ah, Rozalia, scumpa mea copilă, nu pentru mine, ci de mila ta ai tăria și nu te lăsa din nou ispitită !

Rozalia stătea la picioarele tatălui ei cu fața ascunsă în mîini și plîngea amarnic. Ascultînd, cuvintele lui, prinse puțin curaj, îl îmbrățișă cu dragoste și-i spuse :

— Da, tată, îți jur că mă voi sili să îndrept greșeala pe care am săvîrșit-o. Te rog, însă, nu mă mai lăsa singură. Lîngă tine voi avea curajul care mi-ar putea lipsi dacă nu m-aș afla sub supravegherea ta înțeleaptă.

— Vai, Rozalia ! Nu mai stă în puterea mea de a rămîne lîngă tine. Acum sînt în puterea dușmanei mele. Ea nu-mi va îngădui să stau lîngă tine și să te feresc de capcanele în care va căuta să te atragă prin răutatea ei. Mă miră că n-am văzut-o încă. Durerea mea i-ar face mare plăcere.

— Eram aici, la picioarele fiicei tale, spuse șoarecele cenușiu cu vocea sa hîrîită, ieșind în fața nefericitului tată. Mă distram atît de bine auzind cele ce povesteai despre suferințele pe care ți le-am pricinuit ! Acum ia-ți rămas bun de la scumpa ta Rozalia. O iau cu mine și îți interzic s-o ur-mezi.

Spunînd acestea, o prinse pe Rozalia, cu dinții săi ascu-țiți, de poalele rochiei, ca s-o tragă după ea.

Rozalia țipă îngrozită ținîndu-se de tatăl ei, dar o putere mai mare o trăgea după șoarece.

Nenorocitul tată puse mîna pe un baston, vrînd să lovea-scă șoarecele, dar, înainte de a-l atinge, acesta puse o lăbuță pe piciorul duhului, care rămase împietrit ca o statuie. Roza-lia îmbrățișa genunchii tatălui și cerea îndurare șoarecelui care, rîzînd cu răutate, îi spuse :

— Vino, drăguța mea ! Nu aici e locul unde trebuie să mai cazi de două ori pradă frumosului tău cusur. Vom merge prin toată lumea și vei vedea multe în aceste cincisprezece zile.

Șoarecele o trăgea mereu, dar Rozalia se ținea cu toate puterile de tatăl ei și rezista. Atunci șoarecele scoase un strigăt rogușit și casa fu cuprinsă de flăcări. Rozalia își dădu seama că e în pericol viața tatălui ei și că ea va rămîne veșnic în puterea zînei. Trebuia să urmeze șoarecele.

— Rămîi cu bine, tată ! Ne vom revedea peste cincisprezece zile. Rozalia ta te va salva după ce ți-a pricinuit pieirea.

Și fugi repede pentru a nu fi cuprinsă de flăcări.

Merse multe ore fără să știe unde se află. Doborîtă de oboseală și de foame, se adresă unei femei care ședea în fața unei case :

— Doamnă, fiți bună și adăpostiți-mă. Sînt moartă de foame și de oboseală. Dați-mi voie să înnoptez la dumneavoastră.

— Cum se poate ca o fată atît de frumoasă să umble singură pe drumuri și ce-i cu animalul acesta urîcios ?

Rozalia întoarse capul și văzu șoricelul, care o privea cu batjocură. Vru să-l gonească, dar el nu se mișcă din loc. Femeia, văzînd aceasta, dădu din cap și spuse :

— Vezi-ți de drum, frumoaso, nu pot adăposti pe necuratul și pe ocrotiții lui.

Rozalia merse mai departe, plîngînd, și, oriunde cerea adăpost, nu era primită din cauza șoarecelui care nu o părăsea.

În cele din urmă intră într-o pădure, unde găsi un rîuleț și poame din belșug. Mîncă și bău, apoi se așeză lîngă un copac gîndindu-se la tatăl ei. Ce va deveni el în aceste cincisprezece zile ? Tot gîndindu-se, închise ochii spre a nu mai vedea șoarecele. Venirea nopții și oboseala o făcură să cadă într-un somn adînc.

III
Prinţul-cel-Graţios

În timp ce Rozalia dormea, Prinţul-cel-Graţios vîna în pădure la lumina torţelor. Un cerb hăituit de cîini se ghemui speriat lîngă tufişul unde dormea Rozalia. Cîinii şi vînătorii alergau după cerb. Deodată cîinii se opriră din lătrat şi se adunară tăcuţi în jurul Rozaliei. Prinţul sări din şa ca să-i gonească după vînat, dar care nu-i fu mirarea cînd văzu o fată tînără şi frumoasă dormind liniştită în tufiş. Se uită împrejur, dar nu mai era nimeni. Apropiindu-se de ea, zări pe obraji urmele lacrimilor ce continuau încă să curgă din ochii ei închişi. Îmbrăcămintea aleasă a Rozaliei, mîinile ei albe, degetele subţiri cu unghii trandafirii, frumosul ei păr castaniu pieptănat cu grijă şi prins cu un pieptene de aur, încălţămintea frumoasă şi colierul de perle, toate arătau că fata trebuie să fie de neam mare. Deşi caii tropăiau, cîinii lătrau şi oamenii făceau zgomot, ea nu se trezea. Mirat din cale-afară, prinţul nu se mai sătura privind-o. Îngrijorat de somnul ei adînc, o luă de mînă, o scutură uşor, dar fata continua să doarmă.

— Nu pot să părăsesc această copilă, spuse el curtenitor. Cu siguranţă că e jertfa unei fapte mişeleşti. Dar cum s-o ducem aşa, adormită ?

— Prinţe, spuse Hubert, maestrul său de vînătoare, să facem o targă din ramuri şi s-o transportăm pînă la vreun han apropiat.

— Bună idee, Hubert ! Faceţi o targă pe care o vom aşeza încetişor, dar nu o vom duce la han, ci în propriul meu palat. Pare a fi o persoană de neam mare şi e frumoasă ca un înger. Voi veghea eu însumi să i se dea îngrijirea ce i se cuvine.

Hubert şi ofiţerii făcură repede targa, peste care prinţul aşternu mantaua sa. O ridicară apoi cu grijă pe Rozalia, care continua să doarmă, și o așezară pe targă. În acel moment, Rozalia, care părea că visează, surîse și șopti :

— Tată, tată, sînt salvată pentru totdeauna... Regina Zînelor... Prințul-cel-Grațios... îl văd... Ce frumos e!...

Prințul, mirat la auzul numelui său, nu se mai îndoi că Rozalia e vreo prințesă aflată sub puterea unei vrăji. El porunci oamenilor săi să umble cu grijă spre a nu o trezi și merse tot timpul alături de ea.

Ajunseră la palat și prințul dădu ordin să se pregătească pentru Rozalia camerele reginei ; o duse el însuși pe brațe pînă în odaia ei și rugă femeile, care trebuiau s-o culce și s-o slujească, să-l anunțe de îndată ce se va trezi.

Rozalia dormi pînă a doua zi. Soarele era sus cînd deschise ochii. Se uită mirată în jurul ei, neștiind unde se află. Șoarecele dispăruse.

«Am fost oare eliberată de vraja zînei rele ? Mă aflu cumva la o zînă mai puternică ? O zînă bună ?» se gîndea cu bucurie Rozalia. Se duse la fereastră și văzu în curte soldați, ofițeri în uniforme strălucitoare. Din ce în ce mai mirată, era gata să cheme pe una dintre acele persoane, pe care le credea duhuri sau vrăjitori, cînd auzi pe cineva intrînd în cameră. Se întoarse și îl văzu pe Prințul-cel-Grațios, îmbrăcat într-un frumos și bogat costum de vînătoare. El o privea fermecat. Rozalia îl recunoscu îndată pe prințul pe care îl visase și strigă :

— Prințul-cel-Grațios !

— Mă cunoști ? spuse mirat prințul. Dacă mă cunoști, cum de am putut eu să uit numele și trăsăturile tale ?

— Nu te-am văzut decît în vis, prințe, răspunse Rozalia roșind. În ce privește numele meu, n-ai de unde să-l cunoști, deoarece nici eu nu cunosc decît de ieri numele tatălui meu.

— Care e acest nume ce ți-a fost tăinuit atît de mult timp ?

Rozalia îi povesti tot ce aflase de la tatăl ei și vina de a fi căzut pradă curiozității, precum și nenorocirile care au urmat.

— Închipuie-ți durerea mea, prințe, cînd am fost silită să-l părăsesc pe tatăl meu pentru a scăpa de flăcările aprinse de zîna cea rea, apoi umilința de a fi respinsă peste tot din cauza șoarecelui cenușiu. M-am văzut sortită să mor de frig și de foame, dar curînd m-a cuprins un somn greu, plin de vise. Nu știu cum am ajuns aici.

Prințul îi povesti cum a găsit-o adormită în pădure și ce cuvinte spunea în vis.

— Ceea ce nu ți-a spus tatăl tău e că Regina Zînelor, ruda ta și a mea, a hotărît de mult că vei fi soția mea cînd vei împlini cincisprezece ani. Cu siguranță că ea m-a făcut să doresc să vînez la lumina torțelor, anume pentru a te găsi în acea pădure în care te pierduseși. Peste cîteva zile vei împlini cincisprezece ani. Te rog să te simți în palatul meu ca la tine acasă. El îți aparține și poți de pe acum să domnești ca o regină. În curînd tatăl tău va fi din nou alături de tine și atunci vom sărbători căsătoria noastră.

Rozalia îi mulțumi tînărului și frumosului ei văr. Cînd se duse în camera alăturată spre a se îmbrăca pentru masa de prînz, găsi mai multe femei care o așteptau cu o sumedenie de rochii, care de care mai frumoasă, și cu alte găteli.

Rozalia se îmbrăcă cu prima rochie care îi fu arătată. Era din voal trandafiriu, împodobită cu dantelă, cu o mantie din dantelă brodată cu trandafiri. Părul ei frumos, castaniu, era împletit, ca o coroană în jurul capului. Cînd fu gata, prințul veni s-o conducă la masă.

Rozalia mîncă cu mare poftă, căci nu mîncase din ajun. După-masă, prințul o pofti în grădină să-i arate serele care erau neasemuit de frumoase. La capătul uneia din sere se afla un rond cu florile cele mai alese, iar în mijlocul lui era ceva care părea să fie un arbore, dar bine acoperit cu o pînză prin care, din loc în loc, se vedeau niște puncte de o strălucire uimitoare.

IV
Arborele din seră

Rozalia admiră toate florile. Ea credea că prinţul va da jos pînza care acoperea arborele misterios, dar erau pe cale să plece din seră şi el nu-i spunea nimic. Fiind curioasă să afle, îl întrebă :

— Ce-i cu arborele acela înalt ?

— E un dar de nuntă pentru tine, dar nu trebuie să-l vezi înainte de a împlini cincisprezece ani.

— Dar ce străluceşte aşa de tare sub pînză ?

— Vei afla peste cîteva zile Rozalia, şi mă mîndresc că nu va fi un dar obişnuit.

— Nu-l pot vedea înainte ?

— Nu, Rozalia, Regina Zînelor mi-a interzis să ţi-l arăt înainte de a fi soţia mea. Dacă nu aş asculta-o, ne-ar ameninţa mari nenorociri. Nădăjduiesc că mă iubeşti destul de mult pentru a-ţi putea stăpîni curiozitatea cîteva zile.

Cuvintele prinţului o făcură să se cutremure, amintindu-i de şoarecele cenuşiu şi de toate nenorocirile ce o pîndeau pe ea şi pe tatăl ei, dacă se va lăsa pradă ispitei pusă la cale de duşmana lor, Zîna-cea-Nesuferită.

Nu mai vorbi nimic de arborele misterios ; se plimbă cu prinţul şi ziua trecu cît se poate de plăcut. Prinţul îi prezentă pe toate doamnele de la curte, cărora le spuse că au în faţa lor pe viitoarea lui soţie, pe care i-a ales-o Regina zînelor. Rozalia se purtă frumos cu fiecare din ele şi toate se bucurau că vor avea o regină atît de încîntătoare.

A doua zi şi în zilele următoare avură loc serbări, vînători, plimbări. Prinţul şi Rozalia aşteptau nerăbdători ziua de naştere a Rozaliei, care avea să fie şi ziua căsătoriei lor. Ei se iubeau cu duioşie şi Rozalia dorea din toată inima să-l revadă pe tatăl ei. Gîndul la arborele din seră nu o părăsea însă nici o clipă. Îl visa şi noaptea, iar cînd rămînea singură se stăpînea din toate puterile să nu se ducă să afle ce se ascunde sub pînză.

În sfîrşit veni şi ultima zi. A doua zi Rozalia împlinea cincisprezece ani.

Prinţul era foarte ocupat cu pregătirile pentru nuntă, la care erau poftite toate zînele bune pe care le cunoştea şi, bineînţeles, şi Regina Zînelor.

În timpul dimineţii, Rozalia era singură ; se plimba şi se gîndea la fericirea ce o aştepta. Se îndreptă spre seră, intră surîzătoare şi se pomeni în faţa pînzei care acoperea arborele.

„În sfîrşit, mîine voi vedea ce se ascunde sub această pînză, îşi spuse ea. Deşi, dacă vreau, pot să văd şi acum. Iată cîteva mici deschizături în care aş putea introduce cu uşurinţă degetele şi trăgînd puţin... Cine ar putea să afle ? Aş strînge pînza la loc după ce m-aş uita numai puţin... De vreme ce mîine îmi va aparţine. pot foarte bine să arunc măcar o privire astăzi.“

Se uită împrejur şi nu văzu pe nimeni. În dorinţa ei de a-şi satisface curiozitatea, uită cu desăvîrşire de bunătatea prinţului, de pericolele ce o ameninţau şi se lăsă ispitită. Introduse degetele într-o deschizătură şi trase uşurel. Pînza se rupse de sus în jos cu un zgomot asurzitor, ca de tunet, şi în faţa ochilor uimiţi ai Rozaliei apăru un arbore a cărui tulpină era de coral, frunzele din smaralde, fructele din 'pietre preţioase de toate culorile — diamante, perle, rubine, safire, opal, topaz — mari ca şi fructele pe care le reprezentau şi de o asemenea strălucire încît Rozalia ameţi.

Abia zări arborele, cînd un tunet mai puternic decît primul o trezi din ameţeală. Se simţi luată pe sus şi transportată într-o cîmpie, de unde văzu prăbuşindu-se palatul prinţului. Ţipete îngrozitoare se auzeau de sub dărîmături ; apoi Rozalia îl văzu pe prinţ ieşind de sub ruine, însîngerat şi cu hainele zdrenţuite. El se apropie de Rozalia şi îi spuse cu tristeţe :

— Rozalia ! Nerecunoscătoare Rozalia ! Iată în ce stare m-ai adus pe mine şi toată curtea mea. După cele ce ai făcut, sînt sigur că vei cădea şi a treia oară pradă curiozităţii tale şi atunci nenorocirea tatălui tău, a mea şi a ta va fi definitivă. Rămîi cu bine, Rozalia ! Fie ca prin căinţă să-ţi răscumperi nerecunoştinţa faţă de un prinţ care te-a iubit şi nu dorea decît fericirea ta.

Prinţul se îndepărtă încet. Rozalia căzu în genunchi, înecată în lacrimi. Îl strigă, dar el dispăru din ochii ei, fără a mai privi înapoi spre a vedea deznădejdea ei. Era aproape să leşine cînd auzi rîsul scîrţîit al şoarecelui cenuşiu ce se afla în faţa ei.

— Mulţumeşte-mi ! Hai, mulţumeşte-mi, Rozalia, pentru ajutorul ce ţi-am dat. Eu te făceam să visezi noaptea arborele ascuns. Eu am ros pînza în cîteva locuri, ca să poţi vedea ce e înăuntru. Dacă nu-mi reuşea această şiretenie, aş fi fost pierdută, iar tu şi tatăl tău aţi fi scăpat de sub stăpînirea mea, la fel ca şi Prinţul-cel-Graţios. Încă o mică greşeală, micuţa mea, şi veţi fi ai mei pentru totdeauna.

Şoarecele, nebun de bucurie, începu să danseze în jurul Rozaliei. Cuvintele lui, oricît erau de duşmănoase, nu o înfuriau pe Rozalia.

„Eu sînt de vină, îşi spunea ea. Dacă nu era curiozitatea mea nenorocită şi nerecunoştinţa mea, şoarecele cenuşiu n-ar fi reuşit să mă facă să săvîrşesc o faptă atît de rea. Trebuie să ispăşesc totul prin durere, prin răbdare şi prin voinţă neclintită, să rezist la a treia încercare, oricît de grea ar fi. Dealtfel, nu mai am decît cîteva ore de aşteptat şi numai de mine depinde, aşa cum spunea scumpul meu prinţ, fericirea mea, a tatălui meu şi a lui.“

Rozalia nu se mișca din loc, cu toate încercările șoarecelui de a o face să plece de acolo. Stătea ca împietrită în fața ruinelor palatului.

V

Caseta

Astfel trecu ziua întreagă. Rozalia murea de sete.

„Ar trebui să sufăr și mai mult, spre a mă pedepsi pentru nenorocirile ce le-am pricinuit tatălui și vărului meu. Voi aștepta aici cei cincisprezece ani ai mei."

Se lasă întunericul nopții. Deodată o femeie bătrînă, ce trecea pe acolo, se apropie de Rozalia și-i spuse :

— Frumoasa mea copilă, n-ai vrea să-mi faci un serviciu păstrîndu-mi această casetă ? Mă duc aici aproape, la o rudă, și mi-e greu s-o port cu mine.

— Cu plăcere, doamnă, răspunse Rozalia cu amabilitate.

— Mulțumesc, frumoasa mea copilă. Nu voi lipsi mult, dar te rog să nu te uiți în casetă. Sînt în ea lucruri cum n-ai mai' văzut și nici n-ai să vezi vreodată. Așaz-o binișor, fiindcă o lovitură ceva mai puternică ar putea s-o spargă și atunci ai vedea ce e înăuntru. Dar, îți repet, nimeni nu trebuie să vadă ce conține.

Spunînd acestea, bătrîna plecă. Rozalia așeză caseta cu grijă lîngă ea și se gîndi mai departe la toate întîmplările din acea zi. Se făcu noapte și bătrîna nu se înapoia. Se uită la casetă și văzu cu uimire că pămîntul era luminat în jurul ei.

„Ce strălucește oare în această casetă ?" Rozalia o privi pe toate părțile, dar nu-și dădea seama de unde vine acea lumină nemaipomenită. Puse jos caseta şi-şi spuse :

„Ce-mi pasă mie ce conţine această casetă ? Nu-mi aparţine mie, ci bătrînei care mi-a încredinţat-o. Nici nu vreau să mă mai gîndesc, ca să nu fiu ispitită s-o deschid.“

Nu se mai uită şi nici nu se mai gîndi la casetă. Închise ochii, hotărîtă să aştepte să se facă ziuă.

„Mîine voi împlini cincisprezece ani, voi revedea pe tatăl meu şi pe Prinţul-cel-Graţios şi nu-mi va mai fi frică de zîna cea rea.“

— Rozalia, Rozalia, se auzi vocea şoarecelui cenuşiu, sînt lîngă tine ! Eu nu-ţi sînt duşmană şi, dacă vrei să-ţi dovedesc, îţi pot arăta ce-i în casetă.

Rozalia nu-i răspunse.

— Nu auzi ce-ţi spun, Rozalia ? Sînt prietena ta, crede-mă.

Nici un răspuns. Atunci şoarecele, care nu avea timp de pierdut, se aruncă asupra casetei şi începu să-i roadă capacul.

— Monstrule ! strigă Rozalia, apucînd caseta şi strîngînd-o la piept. Dacă te atingi de casetă, îţi sucesc gîtul pe loc.

Şoarecele îi aruncă o privire rea, dar nu îndrăzni s-o înfrunte.

În timp ce scornea un mijloc pentru a stîrni curiozitatea Rozaliei, un orologiu bătu ora douăsprezece noaptea. În aceeaşi clipă şoarecele scoase un strigăt lugubru şi-i spuse Rozaliei :

— Rozalia, a sunat ora cînd te-ai născut. Ai împlinit cincisprezece ani. Nu mai ai de ce să te temi de mine. Nu mai am nici o putere asupra ta, nici asupra nesuferitului tău tată, nici asupra urîciosului de prinţ. Rămîn osîndită să-mi păstrez dezgustătoarea înfăţişare de şoarece, pînă cînd voi reuşi să atrag în cursă o altă fată

tînără, frumoasă şi de neam mare ca tine. Adio, Rozalia!
Acum poţi deschide caseta.

Şoarecele dispăru. Neavînd încredere în cuvintele
duşmanei sale, Rozalia nu-i urmă sfatul şi hotărî să
păstreze caseta neatinsă pînă a doua zi. Abia luase această
hotărîre, cînd ce văzu? Un porumbel zbura deasupra Ro-
zaliei; lăsă să cadă o piatră peste casetă, care se sparse
în mici bucăţele. Rozalia scoase un strigăt de groază şi
în aceeaşi clipă apăru în faţa ei Regina Zînelor care
îi spuse:

— Vino, Rozalia! Ai învins în sfîrşit pe duşma-
nul cel crunt al familiei tale. Te voi reda tatălui tău,
dar, înainte, mănîncă şi bea.

Zîna îi dădu un fruct care, dintr-o singură muşcătură,
îi potoli setea şi foamea. Imediat, apăru un car tras de
doi dragoni, în care se urcară Regina Zînelor şi Rozalia.

Revenindu-şi din uimire, Rozalia îi mulţumi zînei
care o ocrotise şi o întrebă dacă îl va vedea pe tatăl ei
şi pe Prinţul-cel-Graţios.

— Tatăl tău te aşteaptă în palatul prinţului.

— Dar palatul prinţului e distrus şi el însuşi e
rănit, am văzut cu ochii mei.

— Am făcut anume să vezi acel dezastru, dar nu era
adevărat. Am vrut să te fac să urăşti şi mai mult curio-
zitatea şi să te fereşti de a-i mai cădea pradă a treia
oară. Vei găsi palatul prinţului aşa cum era înainte
de a fi rupt tu pînza care acoperea arborele pe care
voia să ţi-l dăruiască.

Carul se opri în curtea palatului. Tatăl Rozaliei,
prinţul şi toată curtea o aşteptau. Ea se aruncă în braţe-
le tatălui şi ale prinţului, care păreau că nu-şi mai
amintesc de greşeala ei din ajun. Totul era pregătit pent-
ru nuntă, care începu imediat. Au fost de faţă toate
zînele şi serbările au ţinut cîteva zile.

Tatăl Rozaliei a rămas să trăiască alături de copiii săi. Rozalia s-a lecuit pentru totdeauna de cusurul curiozității. Prințul și Rozalia s-au iubit toată viața. Ei au avut copii frumoși cărora le-au fost nașe zîne puternice și bune, pentru a-i ocroti împotriva zînelor și a duhurilor rele.

Ursuleț

I

Broasca rîioasă și Ciocîrlia

Într-o fermă mică şi bine gospodărită, trăia o femeie frumoasă şi tînără, pe nume Aniela, împreună cu Alteea, o fată voinică, chipeşă şi veselă, care o ajuta la treburile casei. Ferma era aşezată la marginea unei păduri, departe de sat.

Aveau o vacă albă care dădea mult lapte, o pisică ce prindea şoarecii şi un catîr. Nu primeau niciodată pe nimeni şi nu plecau de acasă decît pentru a merge la piaţa din oraşul vecin. În fiecare marţi catîrul căra legumele, fructele, untul, ouăle şi brînza, pe care le vindeau pentru a avea din ce trăi.

Nimeni nu ştia cînd şi cum au venit aceste două femei la ferma necunoscută pînă atunci şi căreia i se spunea, în împrejurimi, Ferma din Pădure.

Într-o seară, Alteea mulgea vaca, iar Aniela pregătea cina. Cînd să pună pe masă o supă bună şi o farfurie cu smîntînă, Aniela zări o broască rîioasă care înfuleca nişte cireşe ce se aflau pe o frunză mare de viţă, aşezată pe jos.

— Broască scîrboasă, îţi arăt eu ţie, să-ţi treacă pofta să mai mănînci din cireşele mele frumoase !

Aniela luă cireşele şi-i trase broaştei o lovitură zdravănă cu piciorul, azvîrlind-o cît colo. Se pregătea s-o arunce afară, cînd broasca scoase un fluierat ascuţit, se ridică pe picioarele dinapoi, cu ochii scînteietori ieşiţi din orbite. Gura ei mare se deschidea şi se închidea cu furie, tot corpul îi tremura şi din gîtlej scotea nişte orăcăieli îngrozitoare.

Aniela se opri mirată şi se dădu înapoi spre a nu fi împroşcată cu veninul acelui animal monstruos, înfuriat. Căută în jur o mătură spre a o împinge afară, dar broasca rîioasă înaintă către ea şi-i făcu cu laba un semn ameninţător, spunîndu-i cu o voce răguşită ce fremăta de mînie :

— Ai îndrăznit să mă loveşti cu piciorul, m-ai împiedicat să mănînc cireşele şi ai încercat să mă dai afară din casă. Răzbunarea mea te va atinge în tot ce vei avea mai scump. Vei înţelege atunci că nu trebuia s-o superi pe Zîna-cea-Furioasă. Vei naşte un fiu acoperit cu blană de urs şi...

— Opreşte-te, surioară ! o întrerupse o voce plăcută care venea de sus.

Aniela ridică privirea şi văzu o ciocîrlie cocoţată pe partea de sus a uşii de la intrare.

— Te răzbuni cu prea mare cruzime pentru o insultă adusă înfăţişării tale murdare şi hidoase, pe care singură ţi-ai ales-o, deşi eşti zînă. Prin puterea pe care o am, şi care e mai mare decît a ta, îţi poruncesc să te opreşti. Răul pe care l-ai făcut nu-l pot desface, dar nu vei merge mai departe. Iar tu, nefericită mamă, se adresă ea Anielei, să nu-ţi pierzi nădejdea. Se va găsi un leac pentru sluţenia fiului pe care îl vei naşte. Îi dau putinţa de a schimba blana de urs cu pielea unei fiinţe, căreia, prin bunătatea şi prin serviciile pe care i le va aduce, îi va insufla o recunoştinţă şi o dragoste atît de puternică, încît va dori să facă acest schimb. Fiul tău îşi va recăpăta atunci frumuseţea pe care ar fi avut-o dacă sora mea, Zîna-cea-Furioasă, n-ar fi venit să-şi arate răutatea.

— Vai, doamnă ciocîrlie, bunătatea dumneavoastră nu va împiedica pe bietul meu copil de a fi asemenea unui animal !

— E adevărat, răspunse Zîna-cea-Nostimă, mai ales că atît ţie cît şi Alteei vă este interzis să schimbaţi pielea cu el. Dar eu nu vă voi părăsi. Îi veţi da numele de Ursuleţ pînă în ziua cînd îşi va putea lua numele demn de neamul şi de frumuseţea sa. El se va numi Prinţul-cel-Minunat.

Spunînd acestea, ciocîrlia dispăru în văzduh.

Zîna-cea-Furioasă se retrase plină de ură, mergînd greoi şi întorcînd capul la fiecare pas pentru a o privi cu mînie pe Aniela. Pe unde trecea împroşca cu venin otrăvitor, astfel că iarba şi plantele atinse au pierit şi pe locul acela n-a mai crescut nimic. Această cărare este numită şi astăzi „drumul Zînei-cea-Furioasă".

Rămasă singură, Aniela plîngea în hohote. Terminîndu-şi treburile şi cum se apropia ora mesei, Alteea intră în casă şi o văzu cu mirare pe Aniela plîngînd.

— Ce s-a întîmplat, draga mea regină ? Cine te-a supărat ? N-am văzut pe nimeni intrînd în casă.

— O zînă rea, copila mea, sub înfăţişarea unei broaşte rîioase, şi una bună, o ciocîrlie.

Aniela îi povesti Alteei cele întîmplate şi că va naşte un fiu cu blană de urs.

— Ce nenorocire ! spuse plîngînd Alteea. Ce ruşine pentru moştenitorul unui regat atît de frumos, să fie în urs. Ce va spune soţul tău, Regele-cel-Crud, dacă vreodată ne va găsi ?

— Cum ne-ar putea găsi ? Nu-ţi aminteşti că, după fuga noastră din palat, am fost ridicate de un vîrtej şi duse dintr-un nor în altul timp de douăsprezece ore, cu o asemenea viteză încît ne-am trezit în această fermă la zece mii de kilometri de regatul Regelui-cel-Crud ? Dealtfel, ştii cît e de rău şi cît mă urăşte de cînd l-am împiedicat să-l omoare pe fratele său, Prinţul-cel-Nepăsător, şi pe soţia acestuia, Prinţesa-cea-Leneşă. Am fugit pentru că voia să mă omoare şi pe mine, dar nu mi-e teamă că mă va urmări.

După ce plînse un timp împreună cu regina Draga, căci acesta era numele ei adevărat, Alteea o pofti la masă.

— Chiar dacă vom plînge toată noaptea, tot nu vom putea să împiedicăm ca fiul tău să se nască cu blană de urs. Dar îl vom creşte atît de bine, va fi atît de bun, încît nu va trece mult timp şi se va găsi un suflet mărinimos care va primi să schimbe pielea cu el. Frumos dar i-a făcut Zîna-cea-Furioasă, mai bine îl păstra pentru ea !

Regina se ridică, îşi şterse ochii şi se sili să-şi învingă tristeţea. Alteea, cu firea ei veselă şi curajoasă o ajută să alunge gîndurile triste şi o încredinţă că Ursuleţ nu va rămîne mult timp urs, şi dacă nu se va găsi altcineva să schimbe pielea cu el, i-o va da ea pe a ei, cu învoirea zînei bune. Apoi se culcară şi dormiră liniştite.

II

Naşterea şi copilăria lui Ursuleţ

După cîteva luni de la trista prezicere a broaştei rîioase, Aniela născu un băieţaş pe care îl numiră Ursuleţ. Nici ea,

nici Alteea nu-şi dădeau seama dacă e frumos sau urît pentru că, fiind tot acoperit cu păr, nu i se vedeau decît ochii, cînd îi ţinea deschişi, şi gura. Poate că, luat drept un urs adevărat, nimeni nu s-ar fi atins de el şi ar fi pierit. Dar Aniela era mama lui şi prima ei mişcare după ce îl născu fu să-l îmbrăţişeze plîngînd :

— Bietul meu Ursuleţ, cine te va putea iubi într-atît încît să te scape de acest păr urît ? Nimeni nu te va iubi mai mult decît mine.

Ursuleţ dormea. Alteea plînse şi ea puţin, dar nu putea rămîne mult timp tristă. Îşi şterse ochii şi-i spuse Anielei, pe care o iubea ca pe o soră :

— Regina mea dragă, sînt atît de sigură că Ursuleţ nu va păstra multă vreme blana sa, încît îi voi spune de pe acum Prinţul-cel Minunat.

— Ai răbdare, copila mea, zînelor le place să fie ascultate.

Alteea luă copilul, îl înfăşă şi se aplecă să-l sărute, dar perii lui Ursuleţ îi înţepară buzele.

„Ei, băiatul meu, n-am să te sărut prea des, gîndi ea, înţepi ca un arici." Alteea însă îl îngrijea şi îl iubea ca pe copilul ei. El avea doar blana de urs, altminteri era un copil blînd, cuminte şi drăgostos.

Cînd crescu mai mare, îi dădură voie să iasă cîte puţin din fermă. Era cunoscut de oamenii din sat şi nu era pericol să i se întîmple ceva. Copiii fugeau însă de el, femeile îl alungau, iar bărbaţii îl ocoleau. Era privit ca o făptură blestemată. Uneori, cînd se ducea la piaţă, Aniela îl aşeza şi pe el pe catîr. În acele zile îşi vindea greu produsele. Mamele fugeau de frică să nu le atingă Ursuleţ. Aniela plîngea amarnic şi o chema în zadar pe Zîna-cea-Nostimă. Cînd zărea o ciocîrlie îi revenea nădejdea, dar din păcate acelea nu erau ciocîrlii zîne, ci ciocîrlii adevărate, bune de mîncat.

III
Violeta

Ursuleț împlinise opt ani. Era înalt, voinic, avea ochi frumoși și o voce foarte plăcută. Blana lui își pierduse asprimea, era moale, fină ca o catifea. Nu mai înțepa cînd îl săruta cineva. Le iubea cu duioșie pe mama sa și pe Alteea. Își dădea seama că e respingător, vedea că nimeni nu se apropie de el ca de alți copii. Era adesea trist și singur.

Într-o zi se plimba în pădurea frumoasă de lîngă fermă. Umblase mult și toropit de căldură, căuta un loc la umbră spre a se odihni. La cîțiva pași zări ceva alb. Se apropie încetișor și spre marea lui mirare văzu o fetiță care dormea. Părea să aibă vreo trei anișori și era tare frumușică. Buclele ei blonde îi acopereau o parte a gîtului micuț, alb și grăsuț. Obrăjorii rotunzi și fragezi aveau două gropițe care se observau bine pentru că surîdea în somn, cu buzele trandafirii întredeschise. Căpșorul ei fermecător era culcat pe un braț drăgălaș, cu o mînă micuță. Dinții îi erau ca niște perle. Toată înfățișarea fetiței era atît de gingașă și încîntătoare, încît Ursuleț nu se mai sătura privind-o. Se uita la ea, mirat că dormea atît de liniștit în pădure, ca și cum ar fi dormit în pătucul ei. Îmbrăcămintea ei era mai frumoasă și mai bogată decît tot ce văzuse el vreodată. Avea o rochiță din mătase albă, brodată cu fir de aur. Pantofiorii erau la fel, iar ciorăpeii dintr-o mătase foarte fină. Pe brațe avea niște brățări de aur, măiestrit lucrate, care se închideau cu o inimioară ce părea că acoperă un portret. La gît purta un colier de perle. O ciocîrlie începu să cînte deasupra capului ei și o trezi. Copila deschise ochii, se uită în jurul ei, o strigă pe doică și apoi, văzîndu-se singură în pădure, începu să plîngă.

Ursuleț era în mare încurcătură văzînd-o plîngînd.

„Dacă mă vede, gîndi el, biata copilă se va speria crezînd

că sînt un animal din pădure, va fugi şi se va rătăci. Dacă o las aici, va muri de foame şi de frică."

În timp ce se gîndea cum să facă, fetița îl zări. Începu să țipe, încercă să fugă, dar se împiedică şi căzu îngrozită.

— Nu fugi de mine, micuța mea, îi spuse Ursuleț cu vocea lui blîndă, plăcută şi tristă. Nu-ți voi face nici un rău, ba, dimpotrivă, te voi ajuta să-ți regăseşti părinții.

Fetița îl privea cu ochii mari, plini de groază, şi părea înmărmurită.

— Vorbeşte-mi, drăguța mea, nu-ți fie frică, eu nu sînt un urs, cum crezi tu, ci un băiat nenorocit de care fuge toată lumea.

Copila se arătă acum mai puțin speriată, dar parcă nu ştia ce să facă.

Ursuleț făcu un pas către ea şi din nou micuța fu cuprinsă de groază şi încercă să fugă. Ursuleț se opri tare necăjit.

— Nenorocitul de mine, spuse el, nu sînt în stare măcar să vin în ajutor acestui copil părăsit. Înfățişarea mea o îngrozeşte într-atîta, încît preferă să fie părăsită decît să stau eu lîngă ea. Spunînd acestea, el îşi acoperi fața cu palmele şi se trînti la pămînt, hohotind de plîns.

După o clipă simți cum o mînuță căuta să-i dea palmele la o parte. Ridică încet capul şi o văzu în fața sa pe fetiță, cu ochii plini de lacrimi. Ea îi mîngîia obrajii păroşi şi-i spunea aşa cum vorbesc copiii mici :

— Nu plînge, Ursuleț, Violeta nu se teme, Violeta îl iubeşte pe Ursuleț. Ursuleț dă mîna Violetei. Dacă Ursuleț plînge, Violeta îl sărută pe Ursuleț.

Lacrimile de desperare ale lui Ursuleț fură înlocuite cu lacrimi de duioşie. Văzînd că tot mai plînge, Violeta îl sărută spunîndu-i :

— Vezi, Ursuleț, Violeta nu se teme, Violeta îl sărută pe Ursuleț. Ursuleț nu papă pe Violeta. Violeta merge cu Ursuleț.

Lui Ursuleț îi venea s-o strîngă în brațe pe această

copiliță bună și fermecătoare, care își învinsese groaza pentru a-i alina suferința, dar se reținu, de teamă să nu o sperie.

„Va crede că vreau s-o mănînc", își spuse el. Îi strînse încetișor mînuțele și le sărută cu gingășie. Violeta surîdea.

— Ursuleț e bucuros ? Ursuleț iubește pe Violeta ?

Ursuleț știa acum că fetița se numește Violeta, dar nu înțelegea cum această fetiță, atît de frumos îmbrăcată, se găsea singură în pădure.

— Unde locuiești, drăguța mea Violeta ?

— Acolo, acolo, la tata și la mama.

— Cum îl cheamă pe tatăl tău ?

— Îl cheamă regele și pe mama, regina.

Din ce în ce mai mirat, Ursuleț o întrebă :

— De ce ești singură în pădure ?

— Violeta nu știe. Violeta s-a suit pe cîinele mare. Cîinele mare a fugit repede, repede și mult. Violeta a obosit, a căzut și a dormit.

— Unde-i cîinele ?

Violeta se uită în toate părțile și chemă cu glas subțirel : „Amic, Amic !" Dar cîinele nu venea.

— Amic a plecat, Violeta e singură.

Ursuleț luă mînuța Violetei și o întrebă :

— Vrei să mă duc s-o aduc pe mămica mea ?

Violeta nu-și retrase mînuța îi surîse și spuse :

— Violeta nu stă singură în pădure, Violeta merge cu Ursuleț.

— Hai cu mine, micuța mea dragă, te voi duce la mămica mea.

Ursuleț și Violeta plecară spre fermă. Ursuleț culegea fragi și cireșe pentru Violeta, care le împărțea cu el și-i spunea : „Papă și tu, Ursuleț, Violeta nu papă dacă Ursuleț nu papă. Violeta nu vrea ca Ursuleț să fie supărat, nu vrea ca Ursuleț să plîngă." Și se uită la el să vadă dacă e mulțumit, dacă e bucuros.

Ursuleț era de-a dreptul fericit, bietul de el, văzînd că această mică făptură minunată nu numai că nu fuge de el, dar caută să se poarte frumos, să nu-l necăjească. Ochii îi străluceau de bucurie, vocea, și așa plăcută, era acum și mai drăgăstoasă. După ce merseră o jumătate de oră, o întrebă :

— Violetei nu-i mai e frică de Ursuleț ?

— O, nu, nu, nu ! Ursuleț e bun, foarte bun, Violeta nu vrea fără Ursuleț.

— Dacă te-aș săruta nu ți-ar fi frică ?

Drept răspuns, ea se aruncă în brațele lui. Ursuleț o îibrățișă cu dragoste și o strînse la pieptul său. Apoi spuse mai mult pentru sine, căci fetița era prea mică pentru a înțelege : „Dragă Violeta, eu te voi iubi toată viața. Nu voi uita niciodată că ai fost primul copil care a vrut să-mi vorbească, să se apropie de mine, să mă îmbrățișeze."

Ajunseră la fermă. Aniela și Alteea ședeau în fața casei, lucrau și vorbeau. Cînd îl văzură pe Ursuleț ținînd de mînă o fetiță frumos îmbrăcată, le pieri graiul de uimire.

— Mămico dragă, iată o fetiță bună și fermecătoare, pe care am găsit-o, dormind în pădure. O cheamă Violeta. Nu-i e frică de mine, m-a și sărutat cînd m-a văzut plîngînd.

— De ce plîngeai, copilul meu ?

— Pentru că Violetei îi era frică de mine, spuse el cu o voce tristă, tremurătoare.

— Violeta nu se teme, spuse fetița cu vioiciune. Violeta a pupat pe Ursuleț și i-a dat să pape fragi.

— Ce-or fi însemnînd toate acestea ? spuse Alteea. Cum a găsit-o Ursuleț al nostru pe această micuță ? De ce e singură ? Cine este ea ? Spune, Ursuleț, nu înțeleg nimic.

— Nici eu nu știu mai mult, draga mea Alteea. Am văzut-o pe această fetiță adormită în pădure și singură. S-a trezit și a început să plîngă. Apoi m-a văzut și a țipat. I-am vorbit, am vrut să mă apropii de ea, dar țipa mai tare. Atunci, tare necăjit, am plîns și eu.

— Taci, taci, dragă Ursuleţ, strigă Violeta punînd mînuţa pe gura lui. Violeta nu mai face pe Ursuleţ să plîngă niciodată.

Spunînd acestea, Violeta avea şi ea ochişorii plini de lacrimi.

— Buna mea micuţă, spuse Aniela, ai să-l iubeşti pe Ursuleţ care e aşa de nenorocit ?

— O da, Violeta iubeşte mult pe Ursuleţ, Violeta vrea mereu cu Ursuleţ.

Oricît o întrebau Aniela şi Alteea cine sînt părinţii ei, de unde vine, nu putură afla mai mult decît ştia Ursuleţ. Aniela luă în grija ei pe acest copil pierdut. Începu să iubească fetiţa şi-i era recunoscătoare pentru dragostea pe care i-o purta lui Ursuleţ. Pentru prima dată acesta era fericit să se vadă iubit de o altă făptură omenească în afară de Aniela şi Alteea.

Se făcu ora cinci. Alteea puse masa şi se aşezară să mănînce. Violeta ceru să şadă alături de Ursuleţ. Era veselă, vorbea tot timpul şi rîdea. Ursuleţ nu fusese niciodată mai fericit. Aniela era mulţumită, iar Alteea sărea în sus de bucurie că Ursuleţ va avea cu cine să se joace. Din greşeală răsturnă un vas cu smîntînă, care fu imediat linsă de pisica ce-şi aştepta rîndul la mîncare.

După ce mîncară, Violeta, zdrobită de oboseală, adormi pe scaun.

— Unde s-o culcăm ? spuse Aniela, nu avem pat pentru ea.

— Dă-i patul meu, spuse Ursuleţ, eu am să dorm în grajd.

Aniela şi Alteea nu erau de acord cu propunerea lui Ursuleţ, dar la stăruinţa lui, pînă la urmă se învoiră. Alteea o luă pe Violeta în braţe, o dezbrăcă fără a o trezi şi o culcă în patul lui Ursuleţ, iar acesta se culcă în grajd pe nişte snopi de fîn. El adormi mulţumit şi liniştit. Alteea se întoarse în odaia Anielei şi o găsi dusă pe gînduri.

— La ce te gîndeşti, regina mea ? De ce ţi-s ochii trişti ?

Am venit să-ți arăt brățările micuței. Una din ele are un medalion pe care nu reușesc să-l deschid. Poate găsim în el un portret sau un nume.

— Dă-mi-le, copila mea. Ce frumoase sînt ! Poate îmi vor ajuta să descopăr asemănarea ce îmi tot frămîntă mintea.

Aniela luă brățările, încercă și ea să deschidă medalionul, dar nu reuși.

În clipa cînd se pregătea să dea înapoi brățările Alteei, în mijlocul odăii apăru o femeie strălucitoare ca soarele. Avea fața albă, părul ca aurul și o coroană de pietre scumpe pe frunte. Era de statură mijlocie și toată făptura ei era ușoară și luminoasă. Rochia ei largă era presărată, de asemenea, cu pietre scumpe, strălucitoare. Privirea îi era blîndă și zîmbea cu bunătate.

— Aniela, îi spuse ea reginei, eu sînt Zîna-cea-Nostimă. Fiul tău și mica principesă se află sub ocrotirea mea. Fetița este nepoata ta, fiica cumnatului tău Prințul-cel-Leneș și al Prințesei-cea-Nepăsătoare. După fuga ta, soțul tău, Regele-cel-Crud, a reușit să-i omoare. Ei nu se fereau de el și-și petreceau toată ziua dormind, mîncînd și odihnindu-se. Din păcate, nu am putut să împiedic crima, pentru că tocmai atunci eram de față la nașterea unui prinț pe ai cărui părinți îi ocrotesc. Am mai pierdut timpul cicălind o doamnă de onoare bătrînă și rea și un curtean zgîrcit și certăreț, prieteni cu sora mea, Zîna-cea-Furioasă. Bine că am sosit totuși la timp pentru a o salva pe prințesa Violeta, singurul copil al Prințului-cel-Leneș și al Prințesei-cea-Nepăsătoare și singura lor moștenitoare. Ea se juca în grădină. Regele-cel-Crud o căuta ca s-o înjunghie. Am suit-o pe spinarea cîinelui meu Amic, căruia i-am poruncit s-o lase în pădurea spre care am îndreptat pașii fiului tău. Tăinuiți față de ei din ce neam sînt și nu arătați Violetei brățările în care sînt închise portretele părinților ei. Îmbrăcămintea scumpă pe care o purta am și înlocuit-o cu una mai potrivită cu viața pe care o va duce de aici înainte.

Iată o casetă din pietre scumpe. În ea se află fericirea Violetei. S-o ascundeți față de toți și să n-o deschideți decît după ce va fi pierdută și apoi regăsită.

— Voi îndeplini întocmai aceste porunci, zînă bună, răspunse Aniela, dar vă rog să-mi spuneți, bietul meu Ursuleț va mai păstra multă vreme învelișul său hidos ?

— Răbdare, răbdare ! Am grijă de tine, de el, de Violeta, de voi toți. Îți dau voie să-i spui lui Ursuleț de posibilitatea pe care i-am dat-o de a schimba pielea sa cu aceea a unei ființe care îl va iubi destul de mult pentru a dori să facă această jertfă. Țineți minte că nimeni nu trebuie să cunoască obîrșia regească a Violetei, nici a lui Ursuleț. Alteea este singura care a meritat, prin devotamentul său, să cunoască această taină. Ei îi poți spune totul. Rămîneți cu bine ! Ai încredere, regină, în ocrotirea mea. Iată un inel pe care îl vei purta în degetul cel mic. Atîta timp cît îl vei avea, nu vei duce lipsă de nimic.

Făcînd cu mîna un semn de rămas bun, zîna își relu ă înfățișarea de ciocîrlie și zbură cîntînd.

Aniela și Alteea se uitară lung una la alta ; Aniela suspină, Alteea surîse.

— Să ascundem această prețioasă casetă și să vedem ce haine i-a pregătit zîna Violetei pentru mîine, spuse Alteea alergînd la dulap, care era plin cu haine și rufe simple, dar bune.

După ce le privi pe toate, Alteea o ajută pe Aniela să se pregătească de culcare.

IV

Visul

A doua zi, primul care se sculă fu Ursuleț, trezit de mugetul vacii. Se frecă la ochi, se uită în jur și se întrebă de ce se afla în grajd. Își aminti însă de întîmplările din ajun, se ridică repede de pe patul de fîn și alergă la fîntînă să se spele. Alteea, care se sculase și ea devreme, se duse să mulgă vaca și lăsă ușa casei întredeschisă. Ursuleț intră fără a face zgomot, se duse în camera mamei lui, care dormea încă, dădu deoparte perdeluțele de la patul Violetei și o privi cum doarme și surîde în somn. Deodată fața Violetei se încruntă, ea scoase un țipăt de groază, se ridică pe jumătate și, văzîndu-l pe Ursuleț, îl cuprinse cu brațele de gît și-i strigă:„Ursuleț, Ursulețul meu bun, ține pe Violeta, broasca rîioasă o trage în apă".

Ursuleț o luă în brațe, o mîngîie, o sărută, căută s-o liniștească, dar ea continua să plîngă și să strige : „Ursuleț, broasca rîioasă, rea, o ține tare pe Violeta, broasca o trage în apă !"

Aniela, trezită de primul strigăt al Violetei, nu înțelegea de ce s-a speriat. Reuși s-o liniștească și fetița îi povesti în limbajul ei copilăresc visul care o îngrozise : Se plimba cu Ursuleț, dar el nu voia s-o țină de mînuță și nu se uita la ea. A venit o broască rea, a tras-o pe Violeta de rochiță și ea a căzut în apă. L-a strigat pe Ursuleț și el a venit repede s-o scoată din apă. Mai spuse că îl iubește mult pe Ursuleț, și se aruncă în brațele lui.

Aniela nu se îndoia că acesta e un vis trimis de Zîna-cea-Nostimă, pentru ca ea să aibă o grijă deosebită de Violeta și să-i spună și lui Ursuleț să fie foarte atent să nu i se întîmple ceva.

După ce o spălă și o îmbrăcă, îl chemă și pe Ursuleț și se așezară cu toții la masă, unde Alteea adusese lapte proaspăt, pîine neagră bună și unt. Violeta sări în sus de bucurie cînd văzu o mîncare atît de bună.

— Violetei îi place tot și-i pare bine că stă cu Ursuleț și cu mămica lui Ursuleț...

— Nu-mi spune „mămica lui Ursuleț", spune-mi „mămica", acum sînt și mămica ta.

— Ah, nu pot ! spuse Violeta cu un glas trist. Mămica mea s-a pierdut. Mama dormea mereu, nu plimba, nu îmbrăca, nu săruta pe Violeta. Violeta iubește pe mămica lui Ursuleț, spuse ea sărutînd mîna Anielei, care o strînse la pieptul ei.

Lui Ursuleț i se umeziră ochii de duioșie, dar Violeta îi puse mînuța pe ochi și îl rugă să nu mai plîngă.

— Nu, Violeta, nu mai plîng, hai să mîncăm și apoi ne vom plimba.

Mîncară cu poftă ; Violeta găsea totul foarte bun și era mulțumită.

În timp ce Aniela și Alteea erau ocupate cu treburile casei, Ursuleț și Violeta plecară în pădure să culeagă fragi și flori.

— Violeta se plimbă mereu cu Ursuleț, Ursuleț se joacă cu Violeta.

— Nu voi putea să mă joc tot timpul, micuța mea Violeta. Trebuie să ajut pe mama și Alteea la treabă.

— Ce treabă, Ursuleț ?

— Să mătur, să șterg vasele, să îngrijesc vaca, să tai iarba, să aduc lemne și apă.

— Violeta ajută pe Ursuleț.

— Ești încă micuță, Violeta, dar vom încerca.

Cînd veniră acasă, Ursuleț se puse pe lucru. Violeta mergea după el peste tot. Făcea și ea ce putea, dar era totuși prea mică pentru a-l ajuta cu adevărat. După cîteva săptămîni știa să spele ceștile, și alte mici treburi. Era tot timpul veselă, ascultătoare, niciodată nu răspundea urît. Ursuleț o iubea din ce în ce mai mult, la fel ca și Aniela și Alteea, cu atît mai mult cu cît ele știau că Violeta e verișoară cu Ursuleț.

Violeta îl iubea și ea pe Ursuleț, și cum era să nu iubească un băiețaș atît de bun, care căuta să-i facă numai bucurii și care și-ar fi dat și sufletul pentru ea.

Într-o zi, pe cînd Alteea și Violeta erau plecate la piață, Aniela îi povesti lui Ursuleț tot ce se întîmplase înaintea nașterii lui și îi destăinui că va putea scăpa de învelișul lui de urs

117

dacă o persoană l-ar iubi atît de mult, încît din dragoste şi recunoştinţă pentru el ar primi să-i dea în schimb pielea ei albă.

— Niciodată ! strigă Ursuleţ. Niciodată n-aş primi o asemenea jertfă. Niciodată n-aş primi să osîndesc o fiinţă, care m-ar iubi, la viaţa nenorocită la care m-a osîndit răzbunarea Zînei-cea-Furioasă. Niciodată, mamă, cu voinţa mea, o fiinţă în stare de o asemenea jertfă nu va suferi tot ce am suferit eu pînă acum şi ce mai am încă de îndurat din partea unor oameni şi a urii lor pentru mine.

În zadar căuta Aniela să lupte împotriva hotărîrii lui Ursuleţ. El o rugă din toată inima să nu-i mai vorbească de acest schimb şi să nu-i spună vreodată Violetei sau altcuiva, care ţine la el, că este cu putinţă aşa ceva. Aniela i-a făgăduit că nu va spune nimănui, pentru că, de fapt, ea îl înţelegea şi încuviinţa hotărîrea lui.

Aniela nădăjduia că Zîna-cea-Nostimă va preţui simţămintele frumoase ale micului Ursuleţ şi-l va elibera ea însăşi de învelişul lui de urs.

V

Din nou broasca rîioasă

Trecură cîţiva ani fără să se întîmple ceva deosebit. Copiii creşteau. Aniela uitase de visul Violetei din prima noapte. O lăsa adesea să se plimbe singură sau cu Ursuleţ. Băiatul avea acuma cincisprezece ani, era înalt, puternic, sprinten şi harnic. Nimeni nu-şi putea da seama dacă e frumos sau urît, pentru că părul îi acoperea toată faţa. Era tot atît de bun şi gata să facă un serviciu oricui i-ar fi cerut. Din ziua în care o găsise pe Violeta, tristeţea îi dispăruse. Suferea mai puţin că respingea oamenii din cauza înfăţişării sale de animal sălbatic. Trăia pentru ai săi, care îl iubeau. Violeta împlinise zece ani şi se făcea din ce în ce mai frumoasă. Era înaltă, subţirică,

— Mamă, dragă mamă, a pierit Violeta, surioara mea scumpă. Lasă-mă să mor şi eu.

— Linişteşte-te, copilul meu, Violeta trăieşte. Alteea a dus-o acasă.

La auzul acestor cuvinte, Ursuleţ îşi reveni, se sculă şi voi să alerge spre fermă, dar se gîndi să n-o lase singură pe mama lui. Pe drumul scurt pînă acasă el îi povesti ce se întîmplase şi cum era să piară Violeta. Îi mai spuse că broasca rîioasă îl împroşcase cu balele ei şi că simte o mare greutate în cap. Ajunseră la fermă şi Ursuleţ, cu hainele ude leoarcă pe el, se repezi în casă. Cum îl văzu, Violeta îşi aminti tot ce se întîmplase, se aruncă de gîtul lui şi toţi începură să plîngă. Alteea, cu firea ei veselă, puse capăt lacrimilor.

— Hai, copii, curaj ! Şi simţiţi-vă fericiţi că datorită lui Ursuleţ aţi scăpat cu viaţă. După ce e ud pînă la piele, tu, Violeta, îl mai uzi cu lacrimile tale.

— O da ! spuse Violeta. Îi datorez viaţa scumpului meu Ursuleţ. Cum aş putea vreodată să-l răsplătesc pentru tot ce a făcut ? Cum aş putea să-i dovedesc recunoştinţa şi dragostea mea ?

— Iubindu-mă aşa cum mă iubeşti, surioara mea dragă. Dacă eu am avut fericirea de a-ţi face unele servicii, tu ai schimbat întreaga mea viaţă, m-ai făcut vesel şi fericit pe mine, care înainte eram totdeauna trist şi nenorocit. Nu eşti tu bucuria mea de fiecare clipă ?

Drept răspuns, Violeta îl strînse mai tare în braţele ei.

— Dragă Ursuleţ, spuse mama, du-te şi schimbă-ţi hainele astea ude şi las-o pe Violeta să se odihnească o oră. La dejun vom fi iar împreună.

Violeta se culcă, dar nu putu să adoarmă. Se tot gîndea ce să facă ea ca să-l răsplătească pe Ursuleţ pentru tot ce făcuse. Se va sili să fie cît mai bună, pentru a-l face fericit pe el şi pe ceilalţi.

VI
Boala și sacrificiul

La ora mesei, Violeta se sculă, se îmbrăcă și intră în sala de mîncare unde așteptau Aniela și Alteea.

— Unde-i Ursuleț, mamă ? întrebă Violeta.

— Nu l-am văzut, răspunse Aniela.

— Nici eu, spuse Alteea și plecă să-l caute.

Îl găsi lîngă pat cu capul rezemat pe brațe.

— Hai, Ursuleț, vino repede, te așteptăm cu masa.

— Nu pot, răspunse el cu o voce slabă, mi-e capul greu, nu-l pot ridica.

Alteea alergă să spună Anielei și Violetei că Ursuleț e bolnav. El încercă să se ridice ca să le liniștească, dar recăzu lipsit de puteri.

Îl dezbrăcară și îl culcară în pat. Avea temperatură.

— Din cauza mea e bolnav, spuse Violeta. Nu voi pleca de lîngă el pînă nu se va însănătoși. Dacă mă luați de lîngă frățiorul meu iubit, voi muri de grija lui.

Aniela și Alteea se așezară și ele lîngă patul lui. Temperatura creștea și el începu să vorbească fără șir. Nu mai cunoștea pe nimeni. Le striga tot timpul și nu vedea că ele sînt lîngă el. Zi și noapte Aniela și Violeta nu se mișcară de lîngă patul lui. A opta zi, Aniela, doborîtă de oboseală, ațipi lîngă el. Bietul Ursuleț avea răsuflarea din ce în ce mai grea și ochii stinși păreau că-i vestesc sfîrșitul apropiat. Violeta, îngenuncheată, ținea mîna lui și o acoperea cu lacrimi și sărutări. În timp ce stăteau în jurul lui Ursuleț, lipsite de orice nădejde de a-l salva, se auzi deodată un cîntec duios și limpede, care întrerupse tăcerea tristă din cameră. Violeta tresări. Acest cîntec venea ca o alinare, ca o fericire. Ridică ochii și văzu ciocîrlia cocoțată pe oblonul deschis.

— Violeta, strigă ciocîrlia, cu vocea ei dulce, îl iubești pe Ursuleț ?

— Dacă îl iubesc ? Vai, îl iubesc mai mult decît orice pe lume, mai mult decît pe mine însămi.

— Ai răscumpăra viaţa lui cu preţul fericirii tale ?

— Aş răscumpăra-o cu preţul fericirii şi al vieţii mele.

— Ascultă-mă, Violeta, sînt Zîna-cea-Nostimă. Îl iubesc pe Ursuleţ, pe tine şi familia ta. Veninul cu care sora mea, broasca rîioasă, a împroşcat capul lui Ursuleţ are puterea să-l omoare. Dacă tu eşti sinceră, dacă simţi pentru Ursuleţ dragoste şi recunoştinţă, aşa cum spui, viaţa lui se află în mîinile tale. Îţi este îngăduit s-o răscumperi. Trebuie să ştii însă că foarte curînd va trebui să-i dai dovadă de dragostea ta, dacă el va trăi. Vei plăti viaţa lui printr-o jertfă foarte grea, prin jertfa fericirii tale.

— O, doamnă, spuneţi-mi repede ce trebuie să fac ca să-l salvez pe dragul meu Ursuleţ. Nimic nu va fi greu pentru mine. Dacă mă ajutaţi să-l scap, totul va fi pentru mine bucurie şi fericire.

— Bine, copila mea, foarte bine, spuse zîna. Sărută-i urechea stîngă de trei ori şi de fiecare dată să spui :

„A ta, pentru tine, cu tine."

Mai gîndeşte-te înainte de a lua această hotărîre. Dacă nu eşti gata să faci cele mai mari jertfe, ţi se va întîmpla o mare nenorocire. Sora mea, Zîna-cea-Furioasă, va deveni stăpîna vieţii tale.

Drept răspuns, Violeta încrucişă braţele pe piept, se uită cu recunoştinţă la Zîna-cea-Nostimă, şi repezindu-se la Ursuleţ făcu ceea ce îi spusese dînsa.

Abia termină şi iată că Ursuleţ deschise ochii, suspină adînc, o zări pe Violeta şi-i sărută mîinile spunîndu-i :

— Violeta, dragă Violeta, parcă mă trezesc dintr-un somn lung şi greu. Spune-mi, ce s-a întîmplat ? De ce sînt aici ? De ce eşti atît de slăbită şi galbenă la faţă ? Obrajii tăi sînt supţi ca şi cum ai fi vegheat, şi ochii îţi sînt roşii de plîns.

— Vorbeşte încet să n-o trezeşti pe mama, spuse Violeta.

N-a dormit de mult și tu ai fost foarte bolnav.

— Dar tu, Violeta, te-ai odihnit ?

— Cum aș fi putut dormi, dragul meu, cînd eu ți-am pricinuit toate suferințele ?

O mai întrebă ce s-a întîmplat și ea povesti, dar, cum îi era cu totul devotată, nu-i destăinui cu ce preț îi răscumpărase viața.

Ursuleț nu află nimic. Se simțea bine. Se apropie încetișor de mama sa și o trezi cu un sărut. Aniela credea că aiurează. O strigă pe Alteea și fu foarte mișcată cînd Violeta îi povesti că Ursuleț a fost salvat de Zina-cea-Nostimă.

Începînd din acea zi, Ursuleț și Violeta se iubeau și mai mult decît înainte și nu se despărțeau decît atunci cînd treburile îi sileau.

VII

Porcul mistreț

Trecură doi ani de la aceste întîmplări.

Ursuleț plecă la pădure, ca de obicei, să taie lemne pentru casă. Violeta trebuia să-i ducă de mîncare și să se întoarcă seara împreună. Alteea puse în brațele Violetei un coș în care era vin, pîine, șuncă, unt și cireșe. Violeta se grăbi să ajungă mai repede. I se păruse lungă dimineața și era nerăbdătoare să-l regăsească pe dragul ei Ursuleț. Pentru a scurta drumul, o luă pe o cărare a pădurii cu arbori mari, pe sub care se trecea cu ușurință. Nu erau nici mărăcini, nici spini, iar pe jos era un strat gros de mușchi. Era bucuroasă că pornise pe drumul cel mai scurt. Cînd se găsea cam pe la jumătatea drumului, auzi zgomotul unor pași grei și grăbiți, dar încă prea departe pentru a putea vedea ce era, om sau animal. După ce așteptă puțin timp, văzu cu groază un porc mistreț uriaș care se îndrepta spre ea. Părea furios, scurma pămîntul cu colții, rupea coaja de pe copaci. Violeta nu știa ce să facă, să fugă sau să se ascundă. În timp ce stătea la îndoială, mistrețul o văzu și se opri. Ochii îi erau aprinși, părul i se zburlise, colții îi clănțăneau. Scoase un grohăit înfiorător și se repezi la Violeta. Din fericire, ea se afla sub un copac ale cărui ramuri erau la înălțimea ei. Apucă cu amîndouă mîinile o ramură, se agăță de ea, și din ramură în ramură, ajunse destul de sus ca să n-o poată atinge mistrețul. Abia se puse la adăpost cînd mistrețul se aruncă cu toată greutatea trupului în tulpina copacului în care se cățărase Violeta. Turbat de mînie că nu poate sfîșia prada, el dădea lovituri puternice cu rîtul, smulgea coaja și copacul se clătina atît de tare încît Violeta era gata să cadă. Înfricoșată, ea se ținea cu toate puterile de ramuri. Obosit de atacul fără rezultat, mistrețul se culcă la rădăcina copacului, aruncînd priviri furioase Violetei. Trecură astfel cîteva ore. Violeta stătea nemișcată, tremurînd de frică. Mistrețul, cînd liniștit, cînd turbat de mînie, sărea din nou la copac, împungînd lemnul cu colții.

Violeta îl chema în ajutor pe Ursuleț ori de cîte ori mistrețul ataca copacul, dar Ursuleț era departe și nu o auzea. Nimeni nu venea s-o scape. O cuprinse deznădejdea și foamea. Înainte de a se sui în copac, aruncase coșul cu mîncare și mistrețul îl călcase în picioare. În timp ce Violeta îl striga în zadar pe Ursuleț, el se mira că ea nu vine cu mîncarea. „Oare m-au uitat ? se gîndi el. Poate nu le-am spus că nu pot veni acasă la masă și ele mă așteaptă. Poate că sînt îngrijorate din pricina mea." Ursuleț lăsă lucrul și porni grăbit spre casă, dar și el se gîndi să scurteze drumul luînd-o de-a dreptul prin pădure. Curînd i se păru că aude strigăte tînguitoare. Stătu puțin în loc să asculte. Inima îi bătea tare ; i se păru că recunoaște vocea Violetei. Un timp nu se auzi nimic și el fu pe cale să-și continue drumul, cînd un strigăt mai clar și mai ascuțit îi lovi auzul. Nici o îndoială, era Violeta. Violeta era în primejdie și îl striga pe el. Alergă în partea de unde se auzeau strigătele. Apropiindu-se, nu mai auzi strigăte, ci gemete, apoi grohăitul, apoi strigăte de groază şi lovituri puternice. Bietul Ursuleţ alerga cît îl ţineau picioarele. În sfîrşit zări porcul mistreţ care încerca să doboare copacul în care era Violeta. Fata era îngrozită, galbenă la faţă, mai mult moartă decît vie, dar era la adăpost, căci mistreţul nu putea ajunge la ea şi aceasta îi dădu curaj lui Ursuleţ. El se gîndi la ocrotitoarea lor, Zîna-cea-Nostimă, îi ceru în gînd ajutorul şi, cu toporul în mînă, alergă spre mistreţ. În furia lui, mistreţul răsufla zgomotos, clănţănea din dinţi, şi cînd îl zări pe Ursuleţ, se repezi la el. Începu o luptă pe viaţă şi pe moarte. Ursuleţ aştepta cu toporul ridicat şi cînd mistreţul fu destul de aproape, îi trase o lovitură atît de puternică încît i-ar fi crăpat capul dacă n-ar fi avut oase atît de tari. Dar mistreţul părea că nici n-a simţit lovitura şi, aruncîndu-se din nou asupra lui Ursuleţ, reuşi să-l doboare la pămînt. Nici nu-i dădu timp să se ridice, sări asupra lui şi începu să-l sfîşie cu colţii. Crezîndu-se pierdut, Ursuleţ îi cerea zînei s-o salveze măcar pe Violeta. În timp ce mistreţul îl călca în picioare pe bietul băiat, se auzi deasupra lor un cîntec. Mistreţul se cutremură, plecă supus capul, părăsi imediat prada, scoase un grohăit şi se îndepărtă încetişor, fără a mai privi înapoi.

În timp ce Ursuleţ se lupta cu mistreţul, Violeta, văzînd primejdia ce-l ameninţa şi crezînd că nu va reuşi să scape cu viaţă, leşinase de groază şi rămăsese agăţată de crengile copacului. Ursuleţ se credea rupt în bucăţi şi nu îndrăznea să facă vreo mişcare, dar, nesimţind nici o durere, se ridică s-o ajute pe Violeta să coboare, mulţumindu-i Zînei-cea-Nostimă care îi salvase. În aceeaşi clipă ciocîrlia zbură spre el şi-i spuse la ureche :

— Ursuleţ, Zîna-cea-Furioasă a trimis acest mistreţ. Bine că am sosit la timp pentru a te salva ! Violeta îţi va fi foarte recunoscătoare. Ea va primi cu bucurie să schimbe pielea ei cu a ta. Hai, Ursuleţ, profită !

— Niciodată, mai bine să mor sau să rămîn urs toată viața. Biata mea Violeta! Aş fi un nemernic dacă aş profita astfel de dragostea ce-mi poartă.

— La revedere, încăpăţînatule, spuse ciocîrlia zburînd şi cîntînd. La revedere. Voi reveni... şi atunci...

„Atunci va fi ca şi acum", gîndi Ursuleţ. Apoi se urcă în copac, o luă în braţe pe Violeta, o culcă şi-i frecă fruntea şi tîmplele cu restul de vin rămas în sticla spartă. Violeta îşi reveni imediat în simţiri şi nu-i venea să creadă că Ursuleţ e viu şi nevătămat.

— Ursuleţ, dragul meu Ursuleţ, încă o dată mi-ai salvat viaţa. Spune-mi, te rog, spune-mi, ce să fac să-ţi dovedesc recunoştinţa mea?

— Nu vorbi de recunoştinţă, Violeta mea dragă, tu eşti fericirea mea, toată viaţa mea. Salvîndu-te pe tine, îmi salvez propria mea viaţă.

— Vorbeşti ca un frate bun şi drăgăstos, dragul meu Ursuleţ, dar eu tot vreau să fac pentru tine ceva care să-ţi dovedească toată dragostea şi recunoştinţa de care mi-e plină inima.

— Bine, bine, vom vedea noi, spuse rîzînd Ursuleţ. Deocamdată să ne gîndim la viaţă. N-ai mîncat nimic de azi-dimineaţă, biata mea Violeta. Văd pe jos resturile mîncării pe care ai adus-o. E tîrziu, se întunecă şi ar fi bine să ajungem acasă înainte de a se lăsa noaptea.

Violeta se ridică, dar recăzu fără putere, atît era de slăbită de groaza prin care trecuse şi de foame.

— Nu pot merge, Ursuleţ, sînt tare slăbită. Ce ne facem?

Ursuleţ nu ştia nici el ce să facă. S-o ducă în braţe nu putea — era departe de casă şi Violeta era mare acum. S-o lase singură în pădure pînă aducea pe cineva să-l ajute — ar fi putut să cadă pradă animalelor sălbatice: dar nici fără mîncare nu putea s-o lase pînă a doua zi. Cum stătea aşa pe gînduri, neştiind ce să facă, văzu deodată cu uimire un pachet căzînd la picioarele sale. Îl deschise şi găsi pateu, pîine şi o sticlă cu vin. Ghici imediat că pachetul e trimis de Zîna-cea-Nostimă şi i se umplu inima de recunoştinţă.

Violeta bău puţin vin, care era nemaipomenit de bun, şi imediat se întări puţin, iar după ce mîncă pateul şi pîinea îşi reveni pe de-a-ntregul în puteri, la fel ca şi Ursuleţ care mîncă bine de tot. Ei vorbeau tot timpul despre cele întîmpla-te — şi ce fericiţi erau că au scăpat !

Se lăsase noaptea. Nici unul din ei nu ştia încotro s-o ia ca să ajungă la fermă. Erau în mijlocul pădurii. Violeta stătea rezemată de arborele ce-i servise de adăpost împotriva mis-treţului. Nu-i venea să se îndepărteze de teamă că, fiind întu-neric, nu va mai găsi altul atît de potrivit.

— Violeta dragă, nu fi îngrijorată. Timpul e frumos, e cald. Întinde-te în voie pe muşchiul acesta, care e moale şi gros. Ne vom petrece noaptea aici. Te voi acoperi cu haina mea şi mă voi culca la picioarele tale ca să te păzesc. Nu-ţi fie tea-mă, mama şi Alteea nu vor fi îngrijorate. Ele nu ştiu prin ce primejdie am trecut, şi s-a mai întîmplat să ne întoarcem aca-să cînd ele dormeau.

Violeta primi bucuros, pentru că nici nu puteau face altfel, iar cu Ursuleţ lîngă ea nu-i era frică de nimic. Ursuleţ aranjă cît putu mai bine un culcuş pentru Violeta, îşi scoase haina şi o înveli. După ce văzu că Violeta a adormit, se culcă şi el la picioarele ei şi, zdrobit de oboseală cum era, căzu într-un somn adînc. A doua zi dimineaţa Violeta se sculă înaintea lui. Ea zîmbi privindu-l pe Ursuleţ cum dormea strîngînd în mîna dreaptă toporul, cu o figură atît de ameninţătoare de parcă punea pe fugă pe toţi mistreţii din pădure. Se ridică încetişor şi încercă să găsească un drum care să-i ducă la fermă. În timp ce ea se tot învîrtea în jurul locului unde-şi petrecuseră noaptea, Ursuleţ se trezi şi, nevăzînd-o pe Violeta, sări în picioare şi începu s-o strige cu o voce îngrozită.

— Iată-mă, sînt aici, frăţioare dragă, căutam un drum

spre fermă. Dar de ce tremuri ?

— Credeam că te-a răpit vreo zînă rea, draga mea, şi mă blestemam că m-am lăsat cuprins de somn. Bine că eşti veselă şi sănătoasă ! Acum m-am liniştit şi sînt fericit. Să plecăm repede ca să ajungem înainte de a se trezi mama şi Alteea.

Ursuleţ cunoştea bine pădurea şi găsi repede cărarea către fermă. Ei s-au înţeles să nu-i spună mamei prin ce primejdie au trecut, ca să nu-şi facă griji altă dată, cînd s-ar întîmpla să întîrzie, dar Alteei îi povestiră totul.

VIII

Incendiul

Ursuleţ nu o mai lăsa pe Violeta să meargă în pădure. Venea acasă la masă, astfel că Violeta nu se mai îndepărta de fermă fără el.

Trei ani după întîmplarea din pădure, Ursuleţ o văzu pe Violeta venind de dimineaţă, schimbată la faţă, îngrijorată. Îl căuta pe el.

— Vino, vino repede ! îi spuse trăgîndu-l după ea. Am să-ţi povestesc, hai vino !

Ursuleţ, îngrijorat, o urmă grăbit.

— Ce s-a întîmplat, draga mea ? Spune-mi repede, linişteşte-mă. Ce pot face pentru tine ?

— Nimic, nimic, Ursuleţ, nu poţi face nimic. Îţi aminteşti de visul meu de cînd eram copil, cu o broască rîioasă, cu apa şi pericolul ce mă pîndea ? Ei bine, astă-noapte am visat iară. E îngrozitor, Ursuleţ, viaţa ta e ameninţată. Dacă mori, voi muri şi eu.

— Cum ? Cine ameninţă viaţa mea ?

— Ascultă ! Dormeam. O broască rîioasă — tot o broască rîioasă, mereu o broască rîioasă ! — vine la mine şi îmi spune : „Se apropie momentul cînd scumpul tău Ursuleţ trebuie să-și găsească pielea lui adevărată. Ție îți va datora acest schimb. Îl urăsc, îl urăsc de moarte. Nu veți fi fericiți. Tu n-ai decît să faci jertfa la care te îndeamnă prostia ta, dar Ursuleț va pieri. Peste puține ore, mă voi răzbuna cum nici nu gîndești. La revedere ! Auzi ? La revedere ! M-am trezit și m-am abținut din toate puterile să nu țip, dar ce crezi ? Am văzut, așa cum am văzut în ziua cînd m-ai salvat de la înec, acea hidoasă broască rîioasă care ședea pe pervazul ferestrei și se uita la mine amenințătoare. A dispărut lăsîndu-mă mai mult moartă decît vie. M-am sculat, m-am îmbrăcat repede și am venit la tine, frățiorul meu drag, să-ți spun să te aperi împotriva răutății Zînei-cea-Furioasă și să te rog din suflet s-o chemăm pe Zîna-cea-Nostimă.

Ursuleț o ascultă îngrozit nu atît de ce îl amenința pe el, cît de sacrificiul despre care vorbise Zîna-cea-Furioasă. Știa el bine despre ce e vorba. Numai gîndul că fermecătoarea și multiubita lui Violeta ar putea să se încotoșmăneze în pielea lui de urs, din devotament pentru el, îl făcea să tremure, să moară de spaimă. Deznădejdea i se citea în ochi. Violeta, care se uita tot timpul la el, se aruncă de gîtul lui plîngînd în hohote :

— Vai, frățiorul meu iubit, mi te vor răpi curînd ! Tu, care nu știi ce-i frica, tremuri. Tu, care mă liniștești totdeauna și mă susții ori de cîte ori sînt în pericol, n-ai acum nici un cuvînt de încurajare pentru mine. Tu, care lupți împotriva celor mai mari primejdii, acum pleci capul ?

— Violeta mea, nu teama mă face să tremur și să fiu atît de tulburat. Un cuvînt spus de Zîna-cea-Furioasă și al cărui înțeles tu nu-l cunoști, dar pe care eu îl știu, care e de fapt o amenințare pentru tine, aceasta mă face să tremur.

Violeta ghici, după aceste cuvinte, că momentul de a se jertfi sosise și că era chemată să-și țină făgăduiala față de Zîna-cea-Nostimă. În loc să se cutremure de groază, ea simți o bucurie. În sfîrșit va putea răsplăti devotamentul și dragostea scumpului ei Ursuleţ, va putea şi ea să facă ceva pentru el.

Amîndoi se gîndeau la ajutorul ocrotitoarei lor, Zîna-cea-Nostimă. Ursuleţ o striga chiar, cu voce tare, dar ea nu răspundea la chemarea lor.

Ziua trecu în tristeţe. Nici Violeta, nici Ursuleţ n-au spus nimic acasă despre necazurile lor. Nu voiau s-o sperie pe mama lor, care şi aşa era din ce în ce mai tristă.

„Are douăzeci de ani, gîndea ea. Dacă nu vede pe nimeni şi nu vrea să schimbe pielea cu Violeta, care doar atît aşteaptă, cu siguranţă că va rămîne cu blana de urs pînă la moarte.“

Aniela plîngea adesea, dar lacrimile ei nu ajutau la nimic.

În noaptea cînd Violeta avu visul care a înspăimîntat-o, visă şi Aniela. Îi apăru Zîna-cea-Nostimă şi-i spuse :

„Curaj, regină ! Peste puţine zile Ursuleţ va scăpa de blana lui de urs. Îl vei putea numi Prinţul-cel-Minunat.“

Aniela se trezi plină de nădejde şi de fericire. Se purtă mai drăgăstos cu Violeta, gîndindu-se că ea va fi aceea căreia îi va datora fericirea fiului său. Toţi se culcară purtînd în suflet simţăminte diferite. Violeta şi Ursuleţ plini de grijă pentru viitorul lor ameninţat de Zîna-cea-Furioasă, Aniela cu speranţa pentru acelaşi viitor, care îi apărea fericit, iar Alteea simţind în acelaşi timp tristeţe si bucurie, dar nedîndu-şi seama de ce. Toţi adormiră. Violeta, după ce plînse, Ursuleţ după ce o mai chemă o dată pe Zîna-cea-Nostimă, Aniela după ce surîse gîndindu-se la Ursuleţ, frumos şi fericit, iar Alteea după ce se întrebase : „Dar ce-o fi cu ei astăzi ?“

Trecuse o oră de cînd toţi dormeau, cînd Violeta se trezi de un miros de fum. Aniela se trezi în acelaşi timp.

— Mamă, spuse Violeta, nu simţi nimic ?

— Arde casa, spuse Aniela. Uită-te ce lumină e.

Săriră din pat, alergară prin casă, care era toată cuprinsă de flăcări.

— Ursuleţ, Alteea ! strigă Aniela.

— Ursuleţ, Ursuleţ ! strigă Violeta.

Alteea alergă pe jumătate dezbrăcată strigînd :

— Sîntem pierduţi, flăcările au cuprins toată casa. Uşile şi ferestrele sînt închise şi nu le putem deschide.

— Fiul meu, fiul meu ! strigă Aniela.

— Fratele meu, fratele meu ! strigă Violeta.

Alergară la uşi şi la ferestre, dar nu reuşiră să le deschidă.

— Ah, visul meu ! murmură Violeta. Dragul meu Ursuleţ, adio pentru totdeauna !

Ursuleţ se trezi şi el de flăcări şi de fum. El dormea afară, lîngă grajd. Alergă la uşa de la intrare a casei, dar cu toată puterea lui nu reuşi s-o deschidă. Focul continua să cuprindă totul. Ursuleţ apucă o scară, pătrunse prin flăcări în podul casei, printr-o fereastră deschisă, apoi coborî în casă, unde Aniela, Violeta şi Alteea îşi aşteptau moartea stînd îmbrăţişate. Înainte ca ele să-şi dea seama, le luă pe rînd în braţe, le duse în pod, apoi coborîră pe scară şi ajunseră toţi jos, în curte, în momentul cînd şi podul fu cuprins de flăcări.

Alteea nu-şi pierduse capul. Ea mai reuşise să adune nişte haine cînd începuse focul şi acum le prindea bine, pentru că toţi erau în hainele de noapte. Îi mulţumiră lui Ursuleţ care le-a salvat viaţa punîndu-şi viaţa lui în primejdie, şi Alteei pentru grija ei.

— Iată, spuse Alteea, de ce nu trebuie să-ţi pierzi capul la nenorocire. În timp ce voi vă gîndeaţi numai la Ursuleţ, eu împachetam ce era mai folositor.

— E adevărat, dar la ce ar fi folosit toate acestea, buna mea Alteea, dacă mama şi Violeta ar fi pierit ?

— Ei, ştiam eu că tu n-ai să ne laşi să ardem de vii. Cu tine, puteam noi să nu scăpăm de primejdie ? Iată, pe Violeta o salvezi a treia oară.

Violeta strînse tare mîna lui Ursuleţ şi îl sărută. Aniela o sărută şi ea pe Violeta şi-i spuse :

— Dragă Violeta, Ursuleţ e fericit de dragostea ta, care

133

îi răsplăteşte tot ce a făcut pentru tine. Sînt sigură că şi tu te-ai jertfi pentru el dacă s-ar ivi prilejul.

Înainte ca Violeta să fi reuşit să-i răspundă Anielei, Ursuleţ spuse :

— Mamă, te rog din toată inima, nu-i spune Violetei să se jertfească pentru mine, ştii ce nenorocit aş fi !

În loc să-i răspundă lui Ursuleţ, Aniela duse mîna la frunte şi spuse îngrozită :

— Caseta, Alteea, caseta ! Ai salvat caseta. ?

— Am uitat-o, răspunse Alteea.

Faţa Anielei exprima o asemenea îngrijorare încît Ursuleţ o întrebă ce se află în acea preţioasă casetă şi de ce e atît de neliniştită.

— Era un dar al Zînei-cea-Nostimă. Ea mi-a spus că fericirea Violetei este închisă în această casetă, pe care eu o ţineam în dulapul meu. Vai ! Cum de nu m-am gîndit să o salvez ?

Nici nu termină Aniela vorba că Ursuleţ se şi repezi spre casa în flăcări strigînd :

— Vei avea caseta, mamă, sau voi pieri.

Violeta căzu în genunchi, cu braţele întinse către foc. Aniela se uită cu groază la deschizătura prin care intrase Ursuleţ. Alteea îşi acoperi faţa cu mîinile. Trecură cîteva secunde care părură secole celor trei femei, care aşteptau viaţa sau moartea. Ursuleţ nu se vedea. Pîrîiturile lemnului cuprins de flăcări erau din ce în ce mai ameninţătoare. Deodată un trosnet înfiorător le făcu să ţipe cu desperare. Se prăbuşise acoperişul, îngropînd sub dărîmături şi jeratic pe Ursuleţ. După care se aşternu o tăcere de moarte. Flăcările se micşorau, se stingeau, nu se mai auzea nici un zgomot. Toate trei plîngeau în hohote. Bietul Ursuleţ căzuse jertfă curajului şi devotamentului său. Aniela şi Violeta nu mai auzeau, nu mai înţelegeau nimic.

— Să plecăm, le spuse Alteea.

Nu răspunseră. Alteea voi s-o ducă de acolo pe Violeta.

— Hai, Violeta, să ne căutăm un adăpost pentru noapte.

— Ce-mi pasă de adăpost ? Nu mă voi mişca de aici, unde l-am văzut ultima oară pe Ursuleţ. Aici a pierit, din dragoste pentru noi.

Alteea alergă la grajd, care nu arsese, mulse vaca şi încercă în zadar să le convingă pe Aniela şi pe Violeta să bea puţin lapte.

Aniela se sculă şi îi spuse Violetei :

— Îţi înţeleg durerea, copila mea. Niciodată o inimă mai nobilă şi mai mărinimoasă n-a bătut într-un corp omenesc. Te-a iubit mai mult decît orice pe lume. Pentru a te scuti de o durere, şi-a sacrificat propria sa fericire.

Aniela îi povesti apoi Violetei tot ce se întîmplase înaintea naşterii lui Ursuleţ şi cum ar fi putut Violeta să-l scape pe Ursuleţ de învelişul lui de animal, luîndu-i-l ea. Îi spuse de asemenea de hotărîrea lui Ursuleţ de a nu primi şi de rugăminţile lui ca niciodată Violeta să nu afle că are putinţa de a se jertfi pentru el.

Îşi poate oricine închipui cît de mare era admiraţia, dragostea şi în acelaşi timp durerea Violetei.

— Acum, dragele mele, ne rămîne o ultimă îndatorire de îndeplinit. Trebuie să-l înmormîntăm pe Ursuleţ. Să dăm la o parte ruinele şi cenuşa, şi cînd vom găsi rămăşiţele scumpului nostru băiat...

Sughiţurile de plîns o împiedicară pe Aniela să termine ce mai avea de spus.

IX

Puţul

Aniela, Violeta şi Alteea se îndreptară spre ruinele fermei cu curajul desperării. Începură să dea la o parte dărîmăturile care încă fumegau. Două zile dură pînă curăţară totul.

Nu găsiră nici urmă de Ursuleț. Ele ridicară bucată cu bucată, pumn de cenușă cu pumn de cenușă, tot ce rămăsese în urma incendiului. Trăgînd ultimele scînduri arse pe jumătate, Violeta zări cu surprindere o deschizătură. Se uită mai bine și văzu că e gura unui puț. Inima începu să-i bată cu putere și o slabă nădejde se strecură în sufletul ei.

— Ursuleț! strigă ea cu voce stinsă, stinsă.

— Violeta, Violeta mea scumpă, sînt aici, sînt teafăr!

Violeta răspunse printr-un strigăt înăbușit, leșină și căzu în puț. Dacă zîna cea bună n-ar fi ocrotit-o, Violeta și-ar fi sfărîmat oasele căzînd. Dar Zîna-cea-Nostimă, care le-a făcut atîtea servicii, a susținut-o pe Violeta, astfel că ea a ajuns încetișor lîngă Ursuleț. Și-a revenit repede în simțiri. Nu puteau crede în atîta fericire. Își spuneau cele mai drăgăstoase cuvinte. Ei se treziră la realitate de strigătele Alteei care, căutînd-o pe Violeta, găsi gura puțului, se uită înăuntru, văzu rochia Violetei și crezu că ea s-a aruncat și a murit. Alteea striga de-și rupea plămînii și Aniela se apropie spre a vedea de ce țipă.

— Taci, Alteea, ai s-o sperii pe mama. Sînt aici, cu Violeta. Sîntem sănătoși, nu ne trebuie nimic.

— Ah, ce fericire! strigă Alteea. Vino, regina mea, iată-i aici și sînt nevătămați, vino mai repede!

Aniela, galbenă ca o moartă, se uita la Alteea și nu înțelegea nimic. Căzu în genunchi și nu mai avu putere să se ridice. Deodată auzi vocea scumpului ei Ursuleț, care o striga:

— Mamă, dragă mamă, Ursuleț al tău trăiește!

Aniela sări către deschizătura puțului și s-ar fi aruncat în el dacă Alteea n-ar fi reținut-o cu toată puterea.

— De dragul lor vrei să te arunci în gaura asta și să mori? Ai răbdare, am să ți-i aduc eu sus.

Aniela, tremurînd de fericire, înțelese înțelepciunea Alteei și rămase nemișcată, cu inima bătîndu-i să se spargă, în timp ce Alteea alergă să aducă o scară. Alteea lipsi mult timp,

pentru că pe sub grămada de dărîmături cu greu găsi scara. De fapt, scara era aproape de ea, dar, turburată cum era, nu o vedea şi se gîndea cum să coboare vaca în puţ ca să bea copiii lapte proaspăt. În acest timp Ursuleţ şi Violeta nu încetau să se bucure de fericirea lor şi să-şi povestească prin ce groază trecuseră.

— Treceam prin flăcări, spunea Ursuleţ, căutînd pe dibuite dulapul mamei. Fumul mă înăbuşea şi nu vedeam nimic. Deodată am simţit cum mă ridică cineva de păr şi mă aruncă în fundul acestui puţ. În loc să găsesc apă sau umezeală, am simţit o răcoare plăcută. Pe jos era aşternut un covor, după cum vezi şi tu. Am găsit şi un pachet cu mîncare de care încă nu m-am atins. Am băut numai puţin vin. Cînd mă gîndeam la deznădejdea voastră eram atît de nenorocit, încît zînei noastre bune i s-a făcut milă de mine şi mi-a apărut sub trăsăturile tale, dragă Violeta. Credeam că eşti tu şi m-am repezit s-o iau în braţe, dar nu era decît ceva ca aerul sau ca vaporii de apă. Puteam s-o văd, dar nu puteam s-o ating. Ea îmi spuse rîzînd :

«— Nu sînt Violeta, am luat numai înfăţişarea ei pentru a-ţi dovedi prietenia mea. Fii liniştit, mîine o vei vedea. Ea plînge amarnic, pentru că te crede mort, dar mîine am să ţi-o trimit. Îţi va face o vizită aici, în fundul puţului. Veţi ieşi amîndoi la suprafaţă şi vei revedea pe mama şi pe Alteea, şi cerul frumos la care ele nu vor să se mai uite, dar care li se va părea din nou frumos cînd vei fi iară cu ele. Te vei întoarce mai tîrziu în acest puţ, pentru că în el se află fericirea ta.

— Fericirea mea ? Cînd voi fi din nou cu ai mei, aceasta va fi fericirea mea.

— Crede ce-ţi spun, în acest puţ se află fericirea ta şi a Violetei.

— Fericirea Violetei este să fie lîngă mine, lîngă noi toţi.»

— Vai, ce bine ai răspuns ! îi spuse Violeta lui Ursuleț. Dar ce-a spus zîna ?

«— Știu eu ce spun, mi-a răspuns ea. Peste puține zile va lipsi ceva fericirii tale. Aici vei găsi ceea ce-ți va lipsi. La revedere, Ursuleț !

— La revedere, zîna mea bună, și, nădăjduiesc, pe curînd.

— Cînd mă vei revedea, nu vei fi deloc mulțumit, bietul meu copil, și grozav vei voi să nu mă fi văzut niciodată. Tăcere acum și cu bine !»

— A zburat rîzînd și a lăsat în urma ei un parfum plăcut și ceva care răspîndea liniște în jurul meu. Nu mai sufeream, te așteptam.

La rîndul său, Violeta înțelegea de ce revenirea zînei nu va fi pe placul lui Ursuleț. De cînd îi destăinuise Aniela ce jertfă trebuia să facă ea, era hotărîtă s-o îndeplinească, cu toată împotrivirea lui Ursuleț. Ea nu se gîndea decît la fericirea de a-i putea da o dovadă de marea ei dragoste pentru el. Acest gînd îi sporea bucuria de a-l fi regăsit. Cînd Ursuleț termină de povestit, ei auziră vocea puternică a Alteei care le striga :

— Iată scara, copiii mei. O las jos, dar aveți grijă să nu vă lovească. Dacă mai aveți acolo ceva de mîncare, aduceți-o cu voi, vă rog, că aici nu avem nici de unele. De două zile înghițim numai lapte și praf. Mama și Violeta n-au înghițit decît lacrimile lor. Încetișor, aveți grijă să nu se rupă scara. Iată-i, regina mea, iată-i, se urcă, au și ajuns.

Aniela, tremurînd, stătea împietrită ca o statuie. După ce o văzu pe Violeta în siguranță, Ursuleț, se aruncă în brațele mamei sale care îl acoperi cu lacrimi și sărutări. Îl ținu mult timp îmbrățișat. I se părea că visează. Alteea întrerupse această scenă spunîndu-i lui Ursuleț :

— Ei, e rîndul meu ; mă uiți pentru că nu te ud cu lacrimile mele și pentru că mi-am păstrat capul și puterile ? Cine v-a scos din groapa aceea unde spuneți că vă simțeați așa de bine ?

— Da, da, buna mea Alteea, te iubesc mult şi îţi mulţu-mesc că ne-ai scos de acolo. Îmi era bine, într-adevăr, din momentul cînd Violeta s-a aflat lîngă mine.

— Uite, chiar voiam să te întreb, Violeta, cum ai ajuns tu acolo fără să te faci bucăţele ?

— N-am coborît, Alteea dragă, am căzut şi Ursuleţ m-a prins în braţe.

— Tot nu înţeleg, spuse Alteea, şi cred că aici s-a ames-tecat zîna.

— Da, dar zîna cea bună şi drăguţă, spuse Ursuleţ. De-ar putea s-o învingă mereu pe sora ei cea rea !

Tot vorbind, începură să simtă foamea. Ursuleţ lăsase proviziile în fundul puţului. Alteea coborî repede, fără să spu-nă un cuvînt, în timp ce ceilalţi vorbeau, şi aduse mîncarea aşezînd masa pe un snop de paie curate ; mai aduse patru snopi în chip de scaune şi îi pofti pe toţi la masă.

— Haideţi să mîncăm, că sîntem toţi morţi de foame. Iată, avem pateu, şuncă, pîine şi vin. Trăiască zîna cea bună !

Nu se lăsară poftiţi a doua oară. Se aşezară veseli la masă ; pofta era bună şi mîncarea la fel. Fericirea strălucea pe feţele tuturor. Vorbeau, rîdeau, îşi strîngeau mîinile. După ce terminară de mîncat, Alteea se miră că zîna cea bună nu s-a gîndit la nevoile lor.

— Iată, spuse ea, casa e în ruine, nu avem unde dormi. Singurul adăpost ce ne-a rămas e grajdul şi paiele pe care să ne culcăm. Nici hrană nu mai avem. Altădată totul ne venea înainte de a avea timpul să cerem.

Aniela îşi privi degetul cel mic. Inelul dispăruse. Vor trebui de acum înainte să-şi cîştige pîinea cu sudoarea frun-ţii.

Ursuleţ şi Violeta, văzînd-o atît de îngrijorată, o întrebară care e cauza.

— Vai, copiii mei, veţi spune că sînt nerecunoscătoare pentru că, tocmai cînd sîntem atît de fericiţi, mă îngrijorează viitorul. Observ că în timpul incendiului am pierdut inelul pe care mi l-a dat Zîna-cea-Nostimă și care ne aducea tot ce aveam nevoie atît timp cît îl aveam pe deget. Nu-l mai am. Ce ne facem acum ?

— Nu-ți face griji, mamă dragă. Sînt mare și puternic. Voi căuta de lucru și vom trăi din leafa mea.

— Dar și eu o voi putea ajuta pe buna noastră mamă și pe draga noastră Alteea. Căutînd de lucru pentru tine, Ursuleț, vei putea găsi și pentru mine ceva.

— Mă duc chiar acum, spuse Ursuleț. La revedere !

Le sărută mîinile și porni cu pas sprinten. Nu-și închipuia, bietul Ursuleț, ce primire îl aștepta în primele trei locuri unde va cere de lucru.

X
Ferma, Castelul și Uzina

Ursuleț merse aproape o oră înainte de a ajunge la o fermă mare, unde nădăjduia să găsească de lucru. De departe îl vedea pe fermier cu familia sa, așezați la masă în fața casei. Era la o mică distanță, cînd unul dintre copii, un băiețaș de vreo zece ani, îl zări. Sări de pe scaun, scoase un țipăt și fugi în casă. Al doilea copil, o fetiță de opt ani, auzind țipătul fratelui ei, întoarse capul, îl zări pe Ursuleț și începu și ea să țipe. Toată familia, femeile ca și copiii, fugi îngrozită. Bărbații apucară bîte și furci, așteptîndu-se la un atac din partea bietului Ursuleț. Îl luaseră drept un urs adevărat, scăpat dintr-o menajerie. Ursuleț, văzînd groaza lor și pregătirile de a-l doborî, începu să vorbească pentru a-i liniști.

— Nu sînt un urs, așa cum credeți, ci un băiat care caută de lucru și care ar fi fericit dacă l-ați primi.

Fermierul, foarte mirat să audă un urs vorbind, nu știa ce să facă : să fugă sau să-i vorbească. Hotărî să-i vorbească.

141

— Cine ești și de unde vii ?

— Vin de la ferma din pădure și sînt fiul fermierei Aniela.

— Ah, ah ! Tu ești acela care, cînd erai mic, te duceai la tîrg și speriai copiii. Ai trăit tot timpul în pădure și n-ai avut nevoie de ajutorul nostru. De ce vii acum ? Du-te de trăiește mai departe cu urșii, așa cum ai făcut pînă acum.

— Ferma noastră a ars. Trebuie să lucrez ca să avem din ce trăi. Iată de ce vă cer de lucru. Veți fi mulțumit de felul cum voi munci. Sînt puternic, sănătos și am tragere de inimă. Voi face tot ce veți porunci.

— Crezi, băiatule, că voi lua în serviciu un animal hidos ca tine ? Soția mea, copiii și servitorii ar muri de frică. Nu sînt atît de prost, nu ! Ajunge, acum pleacă și lasă-ne să mîncăm.

— Domnule fermier, vă rog, încercați, să vedeți cum muncesc. Puneți-mă undeva unde să fiu singur, și astfel nu voi speria pe nimeni. Mă voi ascunde de copiii dumneavoastră.

— N-ai terminat, urs rău ce ești ? Pleacă imediat, dacă nu vrei să înfig furca în coapsele tale păroase.

Bietul Ursuleț plecă încet capul, cu lacrimi de umilință și de durere în ochi. Se îndepărtă încetișor, urmărit de rîsetele și huiduielile celor de la fermă. Cînd era destul de departe și nu mai putea fi văzut, nu-și mai putu stăpîni plînsul. Dar, oricît de umilit și necăjit era, nu-i trecu nici o clipă prin gînd că ar putea să schimbe blana lui cu cineva, și mai ales cu Violeta. Mai merse un timp și nimeri la un castel în jurul căruia lucrau o mulțime de oameni, fiecare la altceva. Unii săpau, alții greblau, semănau, stropeau. Alții potcoveau caii.

«Iată un loc unde voi găsi de lucru, își spuse Ursuleț cu nădejdea în suflet. Nu văd nici copii, nici femei. Cred că bărbații nu se vor teme de mine.» Se apropie fără să-l vadă nimeni, își scoase pălăria și se găsi în fața unui bărbat care părea să fie conducătorul celorlalți.

— Domnule, spuse Ursuleț.

142

Bărbatul ridică ochii şi, cînd îl zări, se dădu puţin înapoi şi-l privi cu mare uimire.

— Cine eşti şi ce vrei ? îi spuse cu o voce aspră.

— Domnule, sînt fiul fermierei Aniela de la ferma din pădure.

— Şi ce vrei de la mine ?

— Ferma noastră a ars. Caut de lucru, ca să aibă cu ce trăi familia mea. Nădăjduiesc că aţi putea să-mi găsiţi o muncă.

— O muncă ? Unui urs ?

— Domnule, n-am decît înfăţişarea de urs. Sub acest înveliş respingător bate o inimă de om, o inimă în stare de a fi recunoscătoare. Nu veţi avea a vă plînge nici de munca, nici de purtarea mea.

În timp ce Ursuleţ vorbea şi bărbatul îl asculta cu un aer batjocoritor, caii se speriară, săriră în două picioare şi o luară la fugă, oamenii nemaiputîndu-i stăpîni.

— Ursul, ursul, strigau oamenii, goniţi-l de aici, sperie caii !

— Pleacă ! strigă bărbatul.

Ursuleţ, încremenit, nu se mişca.

— Aşa, nu vrei să pleci ? Aşteaptă, vrăjitorule, îţi arăt eu ţie !

— Ei, voi de acolo, strigă el oamenilor săi, aduceţi cîinii şi asmuţiţi-i asupra acestui animal. Hai, grăbiţi-vă ! Aha, uite că o ia din loc.

Într-adevăr, Ursuleţ plecă grăbind pasul, să fie cît mai departe de aceşti oameni răi, fără suflet.

Aceasta fu a doua încercare nereuşită. Mai erau cîteva ore pînă seara ; se gîndi să mai caute şi îşi continuă drumul.

Se îndreptă către o uzină care se afla la vreo trei-patru kilometri. Proprietarul uzinei folosea mulţi lucrători şi dădea de lucru oricui îi cerea, nu din bunătate ci în interesul său propriu. Oamenilor le era frică de el şi nu-l iubeau. Era cel mai bogat din partea locului şi-i oprima pe bieţii lucrători cu lăcomia sa de bani, dar aceştia nu găseau de lucru decît la el.

Ursuleţ ajunse la uzină. Stăpînul era la intrare şi certa pe unii, ameninţa pe alţii, speriindu-i pe toţi.

— Domnule, spuse Ursuleţ, aveţi cumva ceva de lucru pentru mine ?

— Desigur, am totdeauna de lucru şi încă pe alese. Ce vrei să... şi ridicînd capul, pentru că îi răspunsese fără să se uite cu cine vorbeşte, îl zări pe Ursuleţ şi în loc să termine ce avea de spus, ochii îi scînteiară de mînie şi continua bîlbîindu-se : Ce-i cu gluma asta ? Ce, sîntem la carnaval de îndrăzneşte un muncitor să facă pe caraghiosul ? Să dai imediat jos de pe tine blana asta de urs, dacă nu vrei să te pun pe forjă şi să-ţi pîrlesc părul, cu piele cu tot.

— Nu sînt mascat, răspunse cu tristeţe Ursuleţ. Din nenorocire, este pielea mea. Asta nu mă împiedică să fiu un muncitor bun şi dacă aveţi bunătatea să-mi daţi de lucru, veţi vedea că am tot atîta putere cîtă bunăvoinţă.

— Ţi-oi da eu de lucru, animal scîrbos ! strigă la el stăpînul uzinei, spumegînd de furie. Am să te bag într-un sac şi am să te trimit la un circ, unde vei fi aruncat într-o groapă cu fîrtaţii tăi, urşii. Ai să ai de lucru — să te aperi de ghearele şi de colţii lor. Înapoi, nemernicule ! Piei din ochii mei, dacă nu vrei să ajungi la circ ! Şi, ridicînd un baston, l-ar fi lovit pe Ursuleţ dacă acesta n-ar fi fugit.

XI

Jertfa

Ursuleţ se întoarse acasă descurajat, trist, abătut. Umblase încet şi era tîrziu cînd ajunse la fermă.

Violeta alergă înaintea lui, îl luă de mînă şi, fără să-i spună un cuvînt, îl duse la mama lui, se aşeză în genunchi şi spuse :

— Mamă, cred că Ursuleţ a avut mult de suferit astăzi. În lipsa lui, Zîna-cea-Furioasă mi-a povestit totul, iar zîna cea bună mi-a spus că e adevărat. Mamă dragă, cînd îl credeai pe Ursuleţ pierdut pentru totdeauna, mi-ai destăinuit ceea ce el, din bunătate, îmi ascundea. Ştiu acum că, luînd eu învelişul lui de urs, îi pot reda frumuseţea cu care a fost înzestrat. Sînt fericită, nespus de fericită, de a putea să răsplătesc astfel dragostea şi devotamentul fratelui meu scump. Cer să fac schimbul permis de Zîna-cea-Nostimă şi o rog din inimă să mă ajute să-l fac imediat.

— Violeta, Violeta dragă! strigă Ursuleţ. Ia-ţi cuvintele înapoi. Tu nu ştii la ce viaţă îngrozitoare de izolare şi singurătate te condamni. Tu nu cunoşti descurajarea necontenită ce o simţi cînd vezi ce scîrbă au oamenii de tine. Violeta, te rog, renunţă şi retrage-ţi cuvintele.

— Dragă Ursuleţ, spuse Violeta liniştită, dar cu hotărîre, făcînd ceea ce tu crezi că pentru mine e o mare jertfă, eu îndeplinesc dorinţa cea mai scumpă a inimii mele. Fac aceasta pentru propria mea fericire, dovedindu-ţi astfel dragostea şi recunoştinţa mea. Făcînd aceasta, mă stimez şi m-aş dispreţui dacă n-aş face-o.

— Opreşte-te, Violeta, un moment încă şi gîndeşte-te la durerea mea cînd nu voi mai vedea pe frumoasa şi încîntătoarea mea Violeta, cînd îmi va fi groază de batjocura şi spaima cu care te vor întîmpina oamenii. Violeta, nu condamna pe Ursuleţ al tău la această durere!

Violeta se întristă. Teama că Ursuleţ nu o va putea suferi o făcu să tresară. Acest simţămînt fu însă de scurtă durată. Dragostea şi devotamentul învinseră. Drept răspuns, se aruncă în braţele Anielei şi spuse:

— Mamă, îmbrăţişeaz-o pentru ultima oară pe Violeta cea albă şi frumoasă.

În timp ce Aniela, Ursuleţ şi Alteea o sărutau şi se uitau la ea cu dragoste, iar Ursuleţ o ruga în genunchi să-i lase lui pielea de urs cu care era obişnuit de douăzeci de ani de cînd o purta, Violeta strigă :

— Zînă bună ! Vino să primeşti preţul sănătăţii şi vieţii scumpului meu Ursuleţ.

În aceeaşi clipă apăru Zîna-cea-Nostimă, în toată măreţia ei, pe un car de aur masiv, tras de o sută cincizeci de ciocîrlii. Era îmbrăcată cu o rochie de aripi de fluture, de culorile cele mai diferite şi mai strălucitoare. Pe umeri purta o mantie brodată cu diamante şi cu o trenă lungă de cîţiva metri, din-tr-o stofă uşoară ca un fulg. Părul strălucitor ca o mătase de aur era susţinut de o coroană din pietre scumpe care luceau ca soarele. Fiecare pantofior era tăiat dintr-un rubin. Faţa sa frumoasă, blîndă şi veselă arăta mulţumire. Zîna o privi cu dragoste pe Violeta.

— Vrei într-adevăr, copila mea ?

— Doamnă, strigă Ursuleţ, căzîndu-i la picioare, vă rog să mă ascultaţi ! Mi-aţi făcut atîta bine, am o recunoştinţă plină de dragoste pentru dumneavoastră, sînteţi atît de bună şi de dreaptă. Veţi îndeplini dorinţa nesăbuită a Violetei me-le ? Vreţi să fiu nenorocit toată viaţa silindu-mă să primesc o asemenea jertfă ? Nu, nu, zînă fermecătoare, nu veţi face asta !

În timp ce Ursuleţ vorbea, zîna atinse cu bagheta ei de perle pe Violeta, apoi pe Ursuleţ, spunînd :

— Îndeplinească-se dorinţa inimii tale, copila mea.

Îndeplinească-se împotriva dorinţei tale, copilul meu.

În acelaşi moment, faţa şi tot corpul Violetei se acoperiră cu peri lungi, mătăsoşi, iar Ursuleţ apăru cu pielea albă, nete-dă, de o frumuseţe nemaipomenită. Violeta îl privea cu admi-raţie. El stătea cu capul plecat, cu ochii plini de lacrimi şi nu îndrăznea să se uite la Violeta, transformată într-o fiinţă respingătoare. În sfîrşit se uită la ea şi amîndoi se îmbrăţişară şi plînseră. Cînd Violeta ridică ochii şi o privi pe Aniela, aceasta îi întinse mîinile spunîndu-i :

— Mulţumesc, copila mea nobilă şi generoasă.

— Mamă, îi spuse Violeta, mă vei mai iubi ?

— Te voi iubi de o sută de ori mai mult decît înainte.

— Violeta, îi spuse Ursuleţ, nu te teme că vei fi urîtă în ochii noştri. Pentru noi eşti cu mult mai frumoasă decît atunci cînd aveai toată frumuseţea ta. Eşti sora mea şi o prietenă cum nu mai există. Vei fi toată viaţa tovarăşa mea dragă, stăpîna sufletului meu.

XII
Lupta

Violeta voia să-i răspundă, cînd în aer se auzi un zgomot curios. Deodată văzură coborînd un car din piele de crocodil, tras de cincizeci de broaşte rîioase uriaşe. Toate orăcăiau îngrozitor şi ar fi împroşcat pe toţi cu veninul lor otrăvitor, dacă Zîna-cea-Nostimă nu le-ar fi împiedicat. Cînd carul ajunse jos, coborî din el o fiinţă mare, groasă, greoaie şi hidoasă. Era Zîna-cea-Furioasă. Ochii păreau că-i ies din orbite. Nasul mare, turtit îi acoperea obrajii zbîrciţi. Gura îi ajungea de la o ureche la alta, iar cînd o deschidea se vedea o limbă neagră şi ascuţită şi nişte dinţi verzui, încovoiaţi. Mică de statură, era mai mult lată decît înaltă şi avea o burtă mare ca o tobă. Pielea îi era cleioasă şi rece ca la broaşte. Părul rar, roşu îi cădea în dezordine pe gîtul său zbîrcit şi guşat. Mîinile sale late şi turtite erau ca nişte înotătoare de rechin. Rochia ei era din piei de melc, iar mantia din piele de broască rîioasă.

Ea înaintă către Ursuleţ, pe care de aci înainte îl vom numi Prinţul-cel-Minunat. Se opri în faţa lui, aruncă o privire furioasă Zînei-cea-Nostimă, o altă privire batjocoritoare Violetei, îşi încrucişă braţele lipicioase pe burta ei uriaşă şi spuse cu o voce aspră, răguşită :

— Sora mea m-a învins, Prinţule-cel-Minunat. Îmi rămîne totuşi o alinare. Nu vei fi fericit de regăsirea frumuseţii tale, pentru că ai dobîndit-o în schimbul fericirii acestei mici proaste, care e hidoasă şi de care nu vei voi să te apropii. Da, da, plîngi, frumoasa mea ursoaică. Vei plînge multă vreme, vei regreta amarnic, dacă n-ai şi început să regreţi, de a fi dăruit Prinţului-cel-Minunat pielea ta albă şi frumoasă.

— Niciodată ! Niciodată nu voi regreta. Singura mea părere de rău este că n-am ştiut mai de mult ce puteam să fac pentru a-i dovedi recunoştinţa mea.

Zîna cea bună, a cărei faţă deveni severă şi foarte iritată, întinse bagheta şi spuse :

— Tăcere, sora mea ! Nu te vei bucura multă vreme de nenorocirea Violetei. Am s-o lecuiesc eu, pentru că devotamentul ei merită să fie răsplătit.

— Îţi interzic să-i vii în ajutor, sub ameninţarea furiei mele.

— Nu mă tem de furia ta, surioară, şi numai din dispreţ nu te pedepsesc.

— Să mă pedepseşti ? Îndrăzneşti să mă ameninţi ?

Ea suflă cu zgomot, îşi chemă echipajul, se urcă în car şi se ridică în zbor, vrînd să se abată asupra Zînei-cea-Nostimă, pentru a o înăbuşi cu veninul broaştelor rîioase. Dar Zîna-cea-Nostimă cunoştea mîrşăviile surorii ei. Ciocîrliile sale credincioase ţineau în apropiere carul ei, în care sări, şi carul se ridică deasupra broaştelor rîioase şi se abătu asupra lor. Acestea reuşiră să se dea la o parte şi veninul lor atinse cîteva ciocîrlii, care muriră pe loc. Zîna cea bună le deshămă repede şi, cu iuţeala fulgerului, se abătu din nou peste broaştele rîioase. Ciocîrliile le scoaseră ochii cu ghearele, înainte ca Zîna-cea-Furioasă să le poată veni în ajutor. Zgomotul făcut de broaştele rîioase şi de ciocîrlii era asurzitor. Zîna cea bună avu grijă să strige prietenilor ei care priveau îngroziţi:

— Îndepărtați-vă și astupați-vă urechile !

Zîna-cea-Furioasă mai încercă să îndrepte carul ei cu broaștele rîioase oarbe spre ciocîrlii, ca să le împroaște cu venin, dar Zîna-cea-Nostimă se ridică tot mai sus, iar sora ei, nemaiputîndu-și stăpîni furia, îi spuse :

— Ești susținută de Regina Zînelor, o bătrînă caraghioasă pe care aș vrea s-o văd în fundul iadului.

Abia rosti aceste cuvinte și carul său căzu greoi la pămînt, iar broaștele rîioase muriră toate. Zîna-cea-Furioasă rămase singură sub înfățișarea unei broaște rîioase uriașe. Voia să vorbească, dar nu putea decît să sufle și să scoată niște orăcăieli îngrozitoare. Ea privea cu furie neputincioasă pe Zîna-cea-Nostimă, ciocîrliile, pe Prințul-cel-Minunat și pe ceilalți. Nu mai avea nici o putere.

Zîna-cea-Nostimă coborî iar pe pămînt și spuse :

— Regina Zînelor te-a pedepsit pentru purtarea ta urîtă. Căiește-te, dacă vrei să te ierte.

Drept răspuns, sora ei aruncă venin, care din fericire nu atinse pe nimeni. Zîna-cea-Nostimă întinse bagheta ei spunînd :

— Îți poruncesc să dispari și să nu te mai arăți niciodată Prințului-cel-Minunat și familiei lui.

Imediat, broasca rîioasă dispăru fără urmă. Zîna cea bună rămase nemișcată cîteva clipe, apoi își trecu mîna peste frunte ca pentru a alunga un gînd trist și apropiindu-se de Prințul-cel-Minunat îi spuse :

— Prințe, titlul pe care ți-l dau arată din ce neam te tragi. Ești fiul Regelui-cel-Crud și al reginei Draga, care trăiește aici sub înfățișarea unei simple fermiere. Numele tatălui tău arată și firea lui. Mama ta a încercat să-l împiedice să-și omoare fratele și pe soția acestuia, și regele a vrut să se răzbune și s-o omoare pe ea. Eu am salvat-o, împreună cu devotata Alteea. Și tu, prințesă Violeta, ești fiica Regelui-cel-Leneș și al Reginei-cea-Nepăsătoare. După plecarea reginei Draga, ei au căzut pradă lenei și nepăsării lor și au pierit uciși de Regele-cel-Crud. Dar și el a fost omorît de supușii lui, care nu-i mai puteau suporta jugul și cruzimile. Acum te așteaptă, prințe, să domnești asupra lor. Le-am destăinuit că exiști și că vei avea o soție demnă de tine. Ești liber să alegi pe una dintre cele douăsprezece principese pe care tatăl tău le ținea închise după ce-i omorîse pe părinții lor. Toate sînt frumoase, cuminți și toate îți aduc ca zestre regate.

Prințul-cel-Minunat rămase înmărmurit de tot ce auzise. La ultimele cuvinte ale zînei, se întoarse spre Violeta și, văzînd că plînge, îi spuse :

— De ce plîngi, Violeta ? Te temi că-mi va fi rușine cu tine și că nu voi îndrăzni să dovedesc în fața tuturor curtenilor mei dragostea ce-ți port ? Nu voi ascunde față de nimeni ce-ai făcut pentru mine.

Crezi că aș putea uita ce mă leagă de tine pentru totdeauna ? Crezi că aș putea fi atît de nerecunoscător, încît să caut altă dragoste decît a ta și să te înlocuiesc cu una din acele prințese ținute închise de tatăl meu ? Nu, dragă Violeta ! Pînă acum ai fost pentru mine o soră. De acum înainte vei fi alături de mine toată viața, singura mea prietenă, soția mea.

— Soția ta, frățioare ? Nu se poate așa ceva ! Cum vrei să așezi alături de tine, pe tron, o ființă atît de urîtă ca biata ta Violeta ? Cum vei îndrăzni să înfrunți batjocura supușilor tăi și a regilor vecini ? Iar eu însămi cum voi îndrăzni să mă arăt la serbările ce se vor da în cinstea întoarcerii tale ? Nu, dragul meu, fratele meu, lasă-mă să trăiesc aproape de tine, aproape de mama ta, singură, să nu mă știe nimeni, acoperită cu un voal, ca să nu mă vadă nimeni și nimeni să nu te învinuiască de a fi făcut o alegere atît de nepotrivită.

Prințul-cel-Minunat stărui mult timp și cu multă hotărîre. Aniela nu spunea nimic. Ar fi dorit ca fiul ei să primească această ultimă jertfă din partea Violetei şi s-o lase să trăiască alături de ei, dar ascunsă privirii altora. Alteea plîngea şi îl încuraja pe prinţ în stăruinţele lui pe lîngă Violeta.

— Violeta, spuse prinţul, dacă tu nu primeşti să te sui pe tron alături de mine, eu renunţ la puterea regală, ca să trăiesc cu tine ca în trecut, singuri şi fericiţi. Fără tine, sceptrul regal îmi va fi o povară grea : cu tine, mica noastră fermă va fi un paradis. Spune, Violeta, vrei să primeşti ?

— Ai învins, frăţioare ! Să trăim cum am trăit atîţia ani minunaţi şi fericiţi prin dragostea noastră.

— Nobile prinţ şi generoasă prinţesă, spuse zîna, veţi avea răsplata dragostei voastre, atît de devotată şi de rară. Prinţe, în puţul în care v-am ascuns în timpul incendiului, există o comoară de nepreţuit pentru tine şi pentru Violeta. Coboară, caută şi cînd o vei găsi o vei aduce aici. Veţi afla valoarea ei.

Prinţul alergă către puţ, coborî scara sprinten, ajunse jos, dar nu văzu decît covorul pe care îl găsise prima dată. Se uită cu atenţie la pereţi, nu văzu nimic. Ridică covorul şi văzu o piatră neagră care avea un belciug. Trase de belciug, piatra se ridică, şi descoperi o casetă care lucea ca stelele. «Aceasta trebuie să fie comoara de care vorbea zîna», îşi spuse prinţul. Luă caseta, uşoară ca o coajă de nucă, şi urcă repede ţinînd-o cu grijă în braţe. Toţi îl aşteptau cu nerăbdare. Dădu caseta zînei. Aniela strigă :

— Aceasta e caseta pe care mi-aţi încredinţat-o şi pe care o credeam pierdută !

— Da, e aceeaşi. Iată o cheie, prinţe, deschide-o !

Prinţul se grăbi s-o deschidă, dar care nu fu dezamăgirea tuturor cînd, în locul comorii, nu văzură decît brăţările pe care le purta Violeta cînd Ursuleţ o găsise pierdută în pădure şi o sticluţă cu un fel de ulei. Zîna se uită la ei rîzînd şăgalnic de nedumerirea lor. Ea luă brăţările şi i le dădu Violetei.

— Acesta e darul meu de nuntă, copila mea. Fiecare din aceste diamante are puterea de a feri de orice rău pe acela care le poartă şi de a-l înzestra cu toate virtuţile, toate bogăţiile, toată frumuseţea, deşteptăciunea şi toată fericirea pe care ar dori-o. Să le foloseşti pentru copiii ce se vor naşte din căsătoria ta cu Prinţul-cel-Minunat !

Luînd apoi sticluţa cu ulei de măzăriche, spuse :

— Acesta este darul tău de nuntă din partea vărului tău. Ştiu că îţi place parfumul. Acesta are nişte însuşiri deosebite. Să-l foloseşti chiar astăzi. Mîine voi veni să vă iau şi vă voi conduce pe toţi în regatul tău, prinţe.

— Dar am renunţat la regatul meu, vreau să trăiesc aici cu scumpa mea Violeta.

— Dar cine va conduce regatul, fiul meu ? întrebă regina Draga.

— Tu, mamă, dacă binevoieşti să primeşti, răspunse prinţul.

Regina era pe cale să refuze coroana oferită de fiul ei, cînd zîna spuse din nou :

— Mîine vom mai vorbi despre aceasta. Dumneavoastră, doamnă, care totuşi doriţi puţin această coroană pe care voiaţi s-o refuzaţi, vă interzic s-o acceptaţi înaintea întoarcerii mele. Tu, nobilul meu prinţ, adăugă ea cu o voce dulce şi cu o privire drăgăstoasă, să n-o mai oferi nimănui înaintea venirii mele. La revedere, pe mîine, cînd veţi fi fericiţi, dragii mei copii. Gînditi-vă la prietena voastră, Zîna-cea-Nostimă !

XIII

Răsplata

Prinţul o privi pe Violeta şi suspină. Violeta se uita la el surîzînd.

— Ce frumos eşti, dragul meu văr ! Ce fericită sînt că ţi-am redat frumuseţea ! Eu am să pun cîteva picături din acest ulei de măzăriche pe mîinile mele. Deoarece nu pot să-ți plac așa urîtă, cel puțin să miros frumos, spuse ea rîzînd.

Scoase dopul și îl rugă pe prinț să-i toarne cîteva picături pe frunte și pe față.

Prințul avea inima grea și nu putea vorbi. El luă sticluța și îndeplini dorința Violetei.

De îndată ce uleiul atinse fruntea Violetei, care nu le fu surpriza și bucuria văzînd că părul dispare și pielea își recapătă albeața și frumusețea dinainte.

Văzînd virtuțile acelui ulei minunat, scoaseră strigăte de bucurie și alergară la grajd unde se aflau regina și Alteea. Văzură și ele efectul miraculos al uleiului dat de zînă și le împărtășiră bucuria.

Prințul-cel-Minunat nu-și credea ochilor. De aici înainte nimic nu va împiedica unirea lui cu Violeta, atît de bună, devotată și atît de potrivită pentru a-l face fericit.

Regina se gîndea la regatul pe care îl părăsise de douăzeci de ani. Ar fi dorit ca ei toți să aibă haine potrivite pentru un asemenea prilej, dar nu avea nici timpul, nici mijloacele de a le procura. Vor trebui să apară în fața poporului în îmbrăcămintea lor din pînză groasă și aspră. Violeta și prințul rîdeau de grijile mamei lor.

— Nu găsești, mamă, că prințul nostru minunat este destul de împodobit cu frumusețea sa proprie și că o haină, oricît de bogată, nu l-ar face nici mai frumos, nici mai bun ?

— Nu crezi ca și mine, mamă, că frumusețea dragei noastre Violeta o împodobește mai bine decît cele mai alese veșminte ? Că strălucirea ochilor ei e mai puternică decît a celor mai rare nestemate, că frumusețea dinților ei ar face să pălească cele mai rare perle, că bogăția părului ei bălai întrece în frumusețe orice coroană de diamante ?

— Da, copiii mei, fără îndoială, sînteți amîndoi frumoși și fermecători, dar puțină îmbrăcăminte mai bună, cîteva bijuterii n-ar strica frumuseţii voastre. Iar eu, care sînt bătrînă...

— Dar nu eşti nici bătrînă, nici urîtă, spuse repede Alteea, eşti încă frumoasă chiar şi cu hainele tale de fermieră şi cu boneta de pînză simplă pe cap. Dealtfel, de cum vom sosi în regat, vei cumpăra toate rochiile ce-ţi vor fi pe plac.

Seara trecu în veselie şi fără griji pentru viitor. Zîna avu grijă de cina lor. Petrecură noaptea pe snopii de paie din grajd şi cum erau toţi obosiţi de emoţiile zilei, dormiră atît de adînc, încît soarele era de mult pe cer şi zîna era de-acum în mijlocul lor cînd se treziră. Primul care deschise ochii fu prinţul. El se aruncă la picioarele zînei şi-i mulţumi cu atîta căldură, încît ea fu înduioşată. Violeta veni şi ea alături de prinţ, spre a mulţumi zînei.

— Nu mă îndoiesc de recunoştinţa voastră, le spuse zîna, dar azi am multă treabă. Sînt aşteptată la curtea Regelui-cel-Bun, unde voi fi de faţă la naşterea celui de al optulea fiu al prinţesei Bălăioara. Acest fiu va fi soţul fiicei tale celei mai mari, prinţe. Trebuie să te conduc în regatul tău, şi mai tîrziu voi veni să asist la nunta voastră. Regină, spuse ea adresîndu-se mamei lor, care se trezise, vom pleca imediat în regatul fiului tău. Sînteţi gata, tu şi devotata voastră Alteea ?

— Sîntem gata să vă urmăm, spuse Draga, oarecum stingherită, dar nu vă veţi ruşina de hainele noastre atît de puţin demne de regatul nostru ?

— Nu mă voi ruşina, spuse zîna ; poate tu vei fi aceea, dar am eu leac pentru asta.

Spunînd acestea, zîna desenă un cerc cu bagheta deasupra capului reginei, care în aceeaşi clipă se văzu îmbrăcată cu o rochie din ţesătură de aur, pe cap cu o bonetă din pene legată cu o panglică din diamante, iar în picioare cu pantofi de catifea cu steluţe de aur. Regina privi rochia cu un aer mulţumit.

155

— Dar Violeta şi prinţul ? Nu vreţi să fiţi bună şi pentru ei ?

— Nici Violeta, nici prinţul nu mi-au cerut nimic. Voi face aşa cum vor ei. Spune, Violeta, vrei alte veşminte ?

— Doamnă, spuse Violeta, roşind şi plecînd ochii, am fost fericită în această rochie simplă de pînză. Aşa mă ştie fratele meu şi aşa m-a iubit. Permiteţi-mi s-o păstrez atît timp cît va fi posibil şi o voi păstra mereu în amintirea anilor fericiţi ai copilăriei mele.

Zîna făcu un semn prietenesc de aprobare Violetei, chemă echipajul, care era la cîţiva paşi, se urcară cu toţii şi plecară. În mai puţin de o oră ciocîrliile străbătură cei peste zece mii de kilometri pînă la regatul Prinţului-cel-Minunat. Toţi curtenii şi tot poporul, înştiinţaţi de Zîna-cea-Nostimă, aşteptau în palat şi pe străzi. Cînd zăriră carul, izbucniră în strigăte de bucurie, care deveniră şi mai puternice cînd carul se opri în mijlocul curţii de onoare a palatului şi din el coborî regina Draga, încă tînără şi frumoasă, apoi Prinţul-cel-Minunat, a cărui frumuseţe ieşea şi mai mult la iveală în hainele bogate ce străluceau de aur şi pietre scumpe — tot o drăgălăşenie a şăgalnicei zîne. Violeta era de asemenea îmbrăcată într-o rochie din dantelă de aur, împodobită cu o sumedenie de ciocîrlii mici din diamante. Pe cap avea o coroană făcută tot din ciocîrlii micuţe, brodate din pietre scumpe de toate culorile.

Cînd prinţul o luă de mînă şi o prezentă poporului, figura ei fermecătoare şi blîndă, vioiciunea, frumuseţea şi graţia ei cuceriră imediat inimile tuturor. Toţi strigară mult timp :

— Trăiască Regele-cel-Minunat ! Trăiască regina Violeta !

Strigau atît de tare, încît cîteva persoane asurziră, dar, bineînţeles, zîna, care dorea ca toată lumea să fie fericită, îi vindecă imediat.

A urmat o masă mare pentru curteni şi pentru popor. Au

luat parte un milion trei sute patruzeci şi şase de mii opt sute douăzeci şi două de persoane. Mîncară pe cheltuiala zînei şi fiecare mai căpătă de mîncare pe încă opt zile. În timpul mesei, zîna plecă la curtea Regelui-cel-Bun, promiţînd că va reveni pentru nunta Regelui-cel-Minunat şi a Violetei.

Zîna lipsi opt zile. În acest timp, Regele-cel-Minunat, care o vedea pe mama sa cam tristă că nu mai e regină, o rugă să primească regatul Violetei. Ea primi, cu condiţia ca ei să vină în fiecare an să petreacă trei luni în regatul ei şi nu plecă decît după nunta copiilor.

La nuntă a fost poftită Zîna-cea-Nostimă şi alte zîne şi duhuri, prieteni de-ai ei. Toţi aduseră daruri minunate şi erau foarte mulţumiţi de felul cum au fost primiţi şi au promis că vor veni ori de cîte ori vor fi poftiţi. Un an mai tîrziu primiră o nouă invitaţie, de data aceasta la naşterea primului copil al tinerilor soţi. Violeta a născut o fetiţă care era, ca şi părinţii ei, o minunăţie de frumuseţe şi bunătate.

Regele şi regina nu s-au mai dus la mama lor, din următoarele cauze : Unul din duhurile care fusese invitat la nunta Violetei cu Prinţul-cel-Minunat, şi care se numea Duhul-cel-Binevoitor, o găsi pe regina Draga atît de blîndă, bună şi frumoasă, încît se îndrăgosti de ea şi se duse de mai multe ori s-o viziteze în regatul ei. Într-o zi el o răpi într-un vîrtej. Ea plînse un pic, dar, cum şi ei îi plăcea duhul, primi să se căsătorească cu el.

Regele Duhurilor îi făcu ca dar de nuntă privilegiul de care se bucura soţul ei şi anume de a deveni nemuritoare, de a nu îmbătrîni niciodată şi de a se putea duce într-o clipă oriunde ar dori. Ea se servi adesea de acest ultim privilegiu pentru a-şi vedea nepoţii.

Regele-cel-Minunat şi regina Violeta avură opt fii şi patru fiice, toţi fermecători şi fericiţi pentru că se iubeau foarte mult. Bunica lor îi cam răsfăţa şi le dăruia cu ajutorul Duhului-cel-Binevoitor tot ce-şi doreau. Alteea, care o iubea mult pe regina Draga, a întovărășit-o în noul ei regat, dar cînd duhul a răpit-o, văzîndu-se singură și părăsită, fu atît de tristă încît o rugă pe Zîna-cea-Nostimă s-o ducă la Regele-cel-Minunat și la Violeta. Ea a rămas la ei ; îngrijea copiii și le povestea întîmplările prin care au trecut părinții lor.

Ea se află și acuma acolo, deși duhul și regina Draga au rugat-o să-i ierte că n-au luat-o și pe ea, și să vină la ei.

— Nu, nu, le-a răspuns ea, să rămînem așa cum sîntem. M-ați uitat o dată, s-ar putea să mă uitați încă o dată. Aici, Ursulețul meu drag și Violeta nu mă vor uita niciodată. Îi iubesc și voi rămîne cu ei. Și ei mă iubesc și nu mă vor lăsa să plec.

Fermierul, intendentul și stăpînul uzinei, care au fost atît de cruzi cu Ursuleț, au fost aspru pedepsiți de Zîna-cea-Nostimă. Pe fermier l-a mîncat un urs cîteva ore după ce l-a gonit pe Ursuleț. Intendentul a fost gonit de stăpînul lui, pentru că dăduse drumul cîinilor care au fugit și n-au mai fost găsiți. În aceeași noapte l-a mușcat un șarpe veninos și a murit. Stăpînul uzinei, care era foarte crud cu muncitorii, a fost aruncat într-un cuptor încins, unde a pierit în cîteva clipe.

Cuprins

PENTRU CLASELE PRIMARE

Графиня де Сегюр

СКАЗКИ С ФЕЯМИ

(на румынском языке)

Переводчик: *Екатерина Мику*
Художник: *Анатолий Петрович Смышляев*
Redactor responsabil : *R. Sochircă*
Redactor artistic *V. Baraşkov*
Tehnoredactor *R. Siniţkaia*
Corector *E. Nedelea*
FI 4665

Dat la cules 14.02.90. Bun de tipar 15.02.91. Format 84×108/16.
Hîrtie ofset. Garnitură literară. Imprimare ofset. Coli de tipar 16,80.
Coli editoriale 8,52. Impr. crom. conv. 67,62. Tiraj 75 000. Coman-
da 262 Preţul 2 r. 50 c.

Editura „Hyperion"
277004, Chişinău, Bd. Ştefan cel Mare, 180.

Combinatul poligrafic. 277004, Chişinău,
str. Mitropolitul Petru Movilă, 35.
Departamentul de Stat al R.S.S. Moldova pentru edituri,
poligrafie şi comerţul cu cărţi.